Manon Lépine

PRISONNIÈRE D'UN PASSÉ

(ROMAN)

Conception graphique: Alain Chabot
Mise en page: Alain Chabot
Correction d'épreuves: Françoise Lespérance
Distribution: Éditions Calain

Impression: Mars 1998

Dépôt légal- 1e trimestre 1998
Bibliothèque nationale du Québec
Bibliothèque nationale du Canada

ISBN 2-9805827-1-9

Imprimé au Canada

Remerciements

À toi chère amie, merci de m'avoir ouvert les yeux sur le courage et la persévérance qu'un être humain possède. Merci de m'avoir prouvé qu'une épreuve n'est point la fin d'une vie mais bien le début d'un renouveau.

À ceux que j'ai dû côtoyer dans mes recherches sur le code pénal et qui ont dû revivre cette triste histoire. C'est avec des juges et des jury humains que la vie reprend le droit chemin.

À ceux qui m'ont appuyé à poursuivre dans cet écrit. Merci de m'avoir donné la force de persévérer. Votre motivation m'a conduit vers de nouvelles connaissances que je partage sensiblement avec vous.

Avant-propos

Ce livre fut pour moi une sorte de défi, j'irais même jusqu'à dire, un appel. J'avais besoin de prendre contact avec la vie ingrate qui afflige beaucoup d'être humain sur la terre. Était-ce une sorte de culpabilité, ou bien une responsabilité qui me faisait sentir coupable d'avoir eu une vie sans contrariété… ?

Je ne saurais dire. Je dois vous avouer qu'après le récit de ce livre, j'ai hésité longuement avant d'en entreprendre l'écriture. Dans mon cœur, j'ai senti la détresse, la peine, la souffrance qu'a vécu cette femme. J'ai essayé à plusieurs reprises de me former une carapace, une coquille afin de ne pas être atteint moi-même. Mais, je n'ai pas réussi cet exploit puisqu'aucun être humain ne peut rester insensible à la souffrance d'un semblable.

Alors, dans le but de faire comprendre que la peur n'est pas un point faible mais bien une maladie, j'ai entrepris de relater le discours que m'a confié cette amie. C'est avec une gorge nouée, une main tremblante et un écran humide au fond des yeux que je vous transporte avec moi dans un autre monde. Un monde où, l'indifférence n'est pas de mise, mais où, le soutien de l'entourage est primordial. Laissez-vous doucement glisser dans cette vie sans pour

autant vous y laissez imprégner.

Soyez humble devant sa souffrance, car sûrement quelque part, dans ce grand monde, existe toujours des cœurs meurtris qui ont besoin d'être compris afin que quelqu'un puisse leur ouvrir les bras pour qu'ils s'y glissent en toute sécurité.

Prologue

Cette biographie relate, à mon grand regret, des faits réels. Prendre contact avec la terrible misère humaine fut une tâche difficile...
Je me souviendrai toute ma vie du jour où j'ai rencontré Jasmine Dubois. Dehors, il faisait beau. Le soleil était au rendez-vous et rien n'encombrait la route. Pourtant, je la parcourais en voiture et avec beaucoup de peine... Je ne portais aucune attention aux indications de sécurité. Je crois que je ne pensais pas... J'étais mitraillée d'images d'une violence inouïe et mon cœur battait jusque dans ma tête après avoir écouté ce récit si bouleversant. J'ai accepté d'être la main, le cœur et l'âme de cette femme meurtrie. C'est avec une main parfois tremblante, nerveuse et souvent moite que j'ai entrepris de vous raconter l'histoire de Jasmine Dubois. Femme violée, violentée, opprimée et brutalisée qui ne vit maintenant que par l'entourage de son enfant. Une femme de force, de courage et - je dois l'avouer - de bravoure. J'ai eu un mal fou à

trouver les mots pour décrire son supplice tellement il était inhumain... Son sourire, qui me revient par parcelle, m'a convaincu que son histoire valait la peine d'être racontée. J'essaierai dans mes mots, d'alléger la douleur de ce cœur toujours blessé. Lui redonner aussi et surtout le courage de poursuivre son combat.

Je sais que la lecture de ce livre saura vous faire prendre conscience que la vie n'est pas toujours parsemée de fleurs. La vie est une grande leçon en soi, même si parfois on en demande la raison.

Ne jugez point; n'émettez pas d'opinion ; laissez simplement parler votre cœur. Laissez-le vous guider dans ce récit qui n'est pas une fiction, ce récit qui est malheureusement... réalité.

Chapitre 1

L'automne arrivait à grands pas. La beauté du paysage sous le soleil de la fin septembre semblait provenir d'un conte céleste. Les teintes orangées et jaunâtres s'étendaient à perte de vue. Ce spectacle faisait naître dans le cœur des gens de cette région une joie, une euphorie, rien que de voir se dérouler sous leurs yeux cet iris phosphorescent. Hélas, ce prodigieux panorama n'était pas vu de la même façon par tous.

Assise sur le quai de la rivière Maskinongé d'où, au loin, on pouvait apercevoir le clocher de l'église entre les feuilles multicolores, Jasmine Dubois se foutait bêtement de cette merveille qui se déroulait sous ses yeux. Rageusement, elle essuya une goutte de sang qui coulait de sa lèvre inférieure. Son visage grimaça sous la douleur de sa joue très enflée. Elle leva les yeux vers le ciel en le suppliant…

- S'il existe quelqu'un là-haut, je vous en prie, venez-moi en aide. Je n'en peux plus de supporter ces bagarres inutiles.

Jasmine était mariée depuis maintenant quatre ans. Lorsqu'elle avait rencontré Richard, son conjoint, tout de suite elle avait été séduite par son regard. Il était intelligent, gentil et d'une sensibilité hors du commun. Son cœur avait flanché devant ses yeux de cristal.

Les choses avaient bien changé depuis ; les doux sentiments de l'homme s'étaient détériorés dès les premiers mois de leur union.

Richard avait commencé à boire plus qu'à l'accoutumée et à traîner dans les bars jusqu'à tard dans la nuit, la laissant seule à se morfondre et à broyer du noir.

Chaque soir, lorsqu'il revenait du travail, il prenait son repas rapidement et retournait voir ses copains à la taverne. À son retour, tard dans la soirée, l'ouragan faisait rage : il lui criait des injures, l'abaissait, trouvait toujours à redire sur ses faits et gestes. Pour l'humilier davantage, il la forçait à se donner à lui comme un animal qui pourchasse sa

proie sans défense. Tout récemment, il avait ajouté à ses perversités une tierce personne…
Rien que d'y penser, Jasmine en avait la nausée. Il y avait maintenant deux ans qu'elle vivait cet enfer. Bien sûr, elle pouvait partir : c'était la solution la plus simple. Mais elle en avait tellement peur… cette peur qui empêche d'avancer, qui prend à la gorge, qui étrangle, qui étouffe.
Aujourd'hui, Richard lui avait lancé une chaise en plein visage parce qu'elle était allée chez le coiffeur et avait fait couper ses cheveux. Peut-être que la prochaine fois… il la tuerait ! Cette idée la fit frissonner.
Une seule pensée égayait son cœur meurtri : sa petite Marie-Soleil qu'elle avait donnée à Richard en espérant qu'il serait heureux et redeviendrait l'homme aimant qu'elle avait connu jadis.
Mais non, cette enfant que Jasmine chérissait avait servi à lui donner une victime de plus sur qui jeter son dévolu. Il voulait un garçon. Il lui en voulait d'avoir mis au monde une « innocente », comme il se plaisait si bien à dire.
Cela ne pouvait plus continuer ainsi ; elle en était à y laisser sa vie et celle de son enfant.
Un bruit de moteur l'arracha à ses pensées macabres. Elle leva les yeux et vit un bateau blanc

s'approcher du quai. Elle se leva à la hâte pour s'enfuir avant que les occupants ne la voient dans cet état... trop tard !

Déjà, elle entendait une voix qui lui disait de ne pas partir, qu'on avait besoin d'aide. Lorsque le personnage l'accosta, Jasmine baissa la tête de peur qu'on découvre sa blessure.

- Mademoiselle, je peux vous emprunter votre téléphone ? Je suis en panne et j'aimerais avoir les services d'une remorque...

« Mon dieu, s'il fallait que Richard voit cet homme dans la maison », pensa la jeune femme en détresse. Elle entendit des pas s'accélérer sur les planches du débarcadère ; on s'approchait rapidement.

- Je regrette, lança-t-elle bêtement, je n'ai pas le téléphone.

- Vous... quoi ? lança l'homme surpris.

- Nous n'avons pas le téléphone ! cria Jasmine, la tête toujours baissée.

- Voyons, personne de nos jours n'a pas cette communication !

Elle sentit une main douce lui relever le menton juste au moment où sa lèvre se mit à saigner de nouveau.

- Sacrebleu ! dit l'homme étonné de voir le visage de cette femme... Mais vous vous êtes battue ?

Elle fit un signe négatif à travers ses larmes qui

coulaient à flots. Les yeux inondés, elle examina l'homme qui se tenait devant elle.

Grand, yeux verts, très blond et la carrure d'un athlète. Elle remarqua surtout que ses yeux lançaient des éclairs de fureur, de rage, car elle ne pouvait percevoir les sentiments qui se dégageaient de ce regard sévère.

- C'est votre mari qui vous traite de la sorte ? fit l'homme, attendant une réponse rapide.

- Allez-vous-en avant qu'il ne revienne, je vous en prie.

- Où est-il ? darda l'inconnu révolté.

- Monsieur, je vous en supplie... invoqua la femme, les mains croisées en signe de prière.

Elle s'agenouilla devant l'inconnu.

- Partez maintenant, mon mari doit revenir d'un moment à l'autre.

- Mais, sacrebleu, vous n'êtes pas obligée de vous laisser flageller de la sorte, ça n'a aucun sens !

- Vous ne comprenez pas...

- Il n'y a rien à comprendre, il suffit de vous regarder, dit le capitaine du bateau qui n'avait dégoût que pour l'homme qui avait commis cette faute.

- Alors partez, dit Jasmine afin de clore la discussion.

- Eh bien ! ma petite dame, vous ne me connaissez pas... Je reste ici jusqu'à ce que ce lâche se

présente devant moi. Soyez-en certaine !
Et il avait dit vrai, car Jasmine entendait déjà les sarcasmes de Richard depuis la maison. Par sa voix pâteuse, elle savait qu'il avait bu.
Elle le regarda venir à elle en titubant.
- Que fais-tu, petite traînée ? marmonna le mari dont l'état d'ébriété était, en effet, très avancé.
Jasmine tremblait de tous ses membres, car elle savait d'ores et déjà que les coups allaient suivre d'un instant à l'autre.
- Non, Richard, ce n'est pas ce que tu crois, le monsieur voulait seulement...
Et avant qu'elle n'ait pu terminer ses mots, elle évita de justesse la main de Richard sur son visage... Ce qui mit l'homme dans une fureur extrême.
L'inconnu, près d'elle, n'avait rien manqué de la conversation et avait attrapé d'un geste sec le bras de cet abruti.
- Alors, c'est vous, l'espèce de salaud !
Richard bavait de rage. Son regard bombardait l'inconnu de cette flamme ravageuse qui brillait au fond de ses prunelles à demi-ouvertes.
- Je vais vous montrer ce que c'est que de recevoir une raclée, dit le nouveau venu.
D'un seul coup de poing, il étendit Richard sur le quai. Celui-ci s'écroula comme une marionnette dont

on a coupé les ficelles.

La jeune femme criait et pleurait. L'homme qui venait d'appliquer une correction à l'ivrogne prit Jasmine gentiment contre lui pour la consoler.

- C'est fini maintenant, petite dame....

- Non ! Lorsqu'il se relèvera, il m'infligera à nouveau ses châtiments et me tuera ! cria-t-elle, apeurée devant l'ampleur des événements.

- Pas tant que je serai ici ! Allez, montrez-moi le chemin pour me rendre à un téléphone.

Jasmine le conduisit, tremblante et remuée, vers la grande demeure luxueuse et lui indiqua le combiné. Puis, elle se dirigea aussitôt vers la chambre de l'enfant qu'elle entendait pleurer depuis un bon moment déjà.

- Viens, mon amour, dit-elle en la serrant dans ses bras.

La petite cessa immédiatement ses pleurs en sentant les bras protecteurs de sa mère.

- Tu as bobo, maman ? balbutia l'enfant candide, en indiquant la lèvre meurtrie.

Jasmine serra sa fille sur son cœur, consciente que la petite n'était pas indifférente aux traitements lugubres qu'elle subissait.

Cet inconnu, près de la porte, regardait la pauvre femme et son enfant. Elle semblait encore plus

fragile que son petit bout de chou.
Jasmine se retourna et sursauta en le voyant encore dans la maison.
- Vous avez fait votre appel ?
- Oui, merci. J'ai aussi appelé la police.
- Oh, non ! cria la femme, désespérée.
- Oui, il faut que quelqu'un vous sorte de là, sinon, d'ici peu, on verra votre visage dans les journaux. Je n'ai pas envie que cette petite poupée que vous tenez dans vos bras soit orpheline comme il y en a tant dans ce monde pourri.
- Justement, cria la jeune mère hors d'elle, il va me tuer ! Vous ne comprenez donc pas ? Quand il est ivre, il devient fou et ne sait plus ce qu'il fait. Après la raclée que vous venez de lui infliger, c'est moi qui aurai le duplicata.
- Et vous voulez continuer d'endurer tout ça ?
Elle baissa la tête, incapable de répondre à la question de l'homme. Jasmine ne demandait pas mieux que de se libérer de cette prison où chacun des gestes qu'elle posait était répréhensible, où chaque pensée qui lui traversait l'esprit ne lui appartenait...
Tout ce qu'elle faisait, disait ou pensait devait recevoir son approbation. Rien n'était fait sans son consentement. Quand Richard lui assénait des

coups, elle se jurait à chaque fois de le dénoncer, de révéler à tous, le sort qu'il lui faisait subir.
Mais chaque fois aussi, la menace de s'en prendre à sa fille et de maltraiter l'enfant arrêtait sa délation... Jasmine était prisonnière ; elle appartenait à Richard.
L'homme au regard perçant s'approcha lentement et caressa l'enfant qui lui sourit instantanément.
- J'espère qu'elle ne se rappellera jamais de cette violence, dit-il, voilant ses yeux d'une ombre grisâtre.
Jasmine se rembrunit à son tour comme si elle pensait la même chose.
Ils entendirent jurer à l'extérieur. Jasmine, en proie à une peur incontrôlable, se faufila dans un coin de la chambre à l'abri de ce monstre de colère, gardant son enfant serrée contre elle en signe de protection.
L'inconnu était sidéré devant l'effroi innommable de la misérable femme. Cette frayeur allait la rendre folle à la longue, pensa l'homme, insatisfait du peu qu'il pouvait faire afin de lui venir en aide.
- Restez ici, je reviens dans quelques minutes.
- Non, n'y allez pas, conjura la femme, il va vous tuer.
- Soyez sans crainte, ça ne risque pas d'arriver.

Jasmine resta ainsi pendant de longues minutes, assise par terre à se cacher de son agresseur. Cette fois, elle était certaine d'y laisser sa vie et celle de son enfant.

Elle sortit de sa cachette et se dirigea vers la fenêtre de sa chambre. De cet endroit, elle pouvait voir à perte de vue les montagnes qui s'imposaient, majestueuses, nobles et fières d'appartenir à cette belle région de Lanaudière. Une pluie cinglante battait maintenant la fenêtre ; pourtant, le soleil était toujours apparent. Jasmine vit se former un arc-en-ciel dont les teintes étaient d'une telle brillance qu'elle dut cligner les yeux devant ce spectacle magique.

Elle regarda vers le ciel et se demanda si cette écharpe lui indiquait la fin de sa vie, ou bien la libération de son cauchemar.

Sentant une présence dans son dos, elle se retourna nerveusement. Son mari, poings liés, lui faisait face. Il était entouré d'agents de la paix ainsi que de l'inconnu.

- Madame Dubois ? dit le policier qui se dirigeait vers elle.

Elle recula encore plus vers le mur.

- C'est votre mari qui vous a fait ça ? demanda l'agent en touchant avec précaution le visage bouffi.

- Ma femme est une garce ; elle me trompe avec d'autres hommes et j'ai le droit de la réprimander, hurla Richard, crachant ces mots avec rudesse.
Jasmine crut mourir de honte en entendant les paroles mensongères de l'ivrogne.
- Non, c'est faux, c'est toi qui me bats, qui me hurles des insanités dégoûtantes. Tu me répugnes, tu es un truand de la pire espèce. Aucune femme ne mérite de vivre à tes côtés tellement tu es infâme et ignoble ! lança Jasmine avec une force qui la surprit elle-même.
Elle venait de se rendre compte combien elle avait eu envie de lui dire tout cela depuis longtemps, mais jamais autant de hardiesse ne lui avait permis de le faire jusqu'à ce jour. Elle se sentait vidée, soulagée par cette confession qui avait enfin réussi à se concrétiser.
- Madame Dubois, portez-vous plainte contre votre mari pour voie de fait ?
Elle regardait son libérateur qui la suppliait des yeux. Elle tourna le regard vers son mari qui hurlait toujours.
- Nous vous aiderons Madame Dubois, assura le policier, vous serez sous haute protection, mais il faut nous donner le droit de procéder à son arrestation.

- Je veux un avocat ! beugla l'homme prisonnier des menottes. Vous n'avez pas le droit d'influencer ma femme sur la décision qu'elle a à prendre. Elle n'a pas toute sa tête, elle est débile de naissance et elle ne peut pas prendre de décision toute seule, vous comprenez, c'est une folle...
Il n'en fallut pas plus pour que Jasmine prenne la décision qui la hantait depuis si longtemps.
- Oui, monsieur le policier, je porte plainte et je ne suis pas folle, pour corriger les dires de mon mari. Je suis très saine d'esprit, encore plus que lui. Amenez-le pourrir dans une prison ; c'est l'endroit qui lui revient et je ne veux plus jamais le revoir, termina la femme en serrant l'enfant qui venait de se mettre à pleurer devant la puissance des paroles de sa mère.

L'homme du bateau fut soulagé en entendant les paroles sensées de la jeune femme.
- Salope ! Tu me le paieras, je te le jure ! continuait à tempêter Richard qui essayait par tous les moyens de se libérer de l'emprise des policiers.
Les agents firent taire le coupable en l'empoignant par les bras et en le poussant de force vers l'extérieur.
Le protecteur vint près de la femme troublée et de

nouveau en pleurs.

Il la rassura en lui disant que maintenant, il n'y avait plus rien à craindre et que l'homme serait sous surveillance extrême.

- Que va-t-il se passer à présent ? demanda Jasmine. La situation à laquelle elle avait consenti semblait maintenant lui échapper.

- Il faudra aller en cour, prouver que votre mari abusait de vous physiquement et j'ajouterais moralement, afin qu'il soit incarcéré.

- Non, je ne veux plus jamais le revoir. Qu'il croupisse au cachot comme il le mérite.

- Il le faudra pour que vous puissiez vous débarrasser de lui à jamais.

- Je ne pourrai jamais me débarrasser de lui, car un jour ou l'autre, il voudra voir son enfant.

- Peut-être qu'à ce moment-là, il sera guéri...

- Vous êtes plus confiant que moi, ricana la femme, négative.

- Je pense que tout le monde a droit à une seconde chance dans la vie.

- Pas lui, dit-elle franchement. Il pourrait crever que j'en serais soulagée. Il recommencera toujours ses menaces ; à mon avis, il est incurable.

- Pensez à votre enfant, lui fit remarquer le sage inconnu, peut-être aura-t-elle besoin de son père un jour…

- Sûrement pas ! Il ne l'a jamais prise une seule fois dans ses bras depuis sa naissance. Mon enfant n'a pas besoin d'un père négligent et abusif.

L'homme sentit un léger pincement au cœur en pensant à ce petit être qui n'avait jamais reçu d'amour paternel. Par chance, sa mère essayait de lui en donner pour deux.

- Je dois vous quitter, quelqu'un vient me chercher près du quai. Je le vois qui arrive.

- Merci pour tout ce que vous avez fait, dit Jasmine, reconnaissante envers ce « bon samaritain ».

Il caressa sa joue avec douceur et remarqua la grande détresse au fond de son regard.

- Je m'appelle Carl, dit l'inconnu afin de dissiper un peu le malaise qu'occasionnait sa présence dans la vie de cette famille. Dites-moi, vous avez de la parenté ?

- Oui, j'ai un frère.

- Pourquoi ne pas le contacter ? Il pourrait venir vous réconforter un peu. Et vous devriez consulter un psychologue, cela vous aiderait beaucoup, conclut le personnage.

Elle approuva et posa ses lèvres sur le front de sa petite fille qui lui réclamait depuis un moment des câlins.

- N'oubliez pas mes conseils et bonne chance.
Elle le regarda s'éloigner et un vide s'installa dans la maison. Jasmine se demandait encore comment elle avait eu le courage d'accepter de faire arrêter son mari.
Le pouvoir de cet inconnu y avait sûrement été pour quelque chose.
Elle se dirigea vers le téléphone nerveusement.
Les larmes coulaient à flots sur son visage. La réaction de son frère la tenaillait. Elle essuya du revers de sa main la larme qui glissait lentement vers ses lèvres endolories.
- Jasmine, c'est toi ?
- Oui, Jacob…
- Que se passe-t-il, sœurette, c'est encore Richard ?
- Oui, les policiers sont venus le chercher.
- Il t'a encore battue ? questionna la voix rageuse à l'autre bout du fil.
Elle ne répondit pas à la question. La voix colérique de son frère lui avait fait perdre la parole.
- Où es-tu ?
- À la maison.
- Reste là et ne bouge pas ; j'arrive dans quelques minutes.
Et sans qu'elle n'ait eu le temps de rajouter quoi que ce soit, il avait déjà raccroché.

Combien de fois Jacob lui avait dit de le quitter et de venir rester chez lui quelque temps… Elle avait toujours cherché à camoufler le problème, mais Jacob n'était pas dupe. Il avait fait des menaces à Richard lors de la dernière chicane avec sa soeur : s'il levait encore le petit doigt sur elle, il le traînerait en justice après lui avoir infligé son traitement personnel.
Cette fois, il n'y avait plus d'échappatoire ; il lui en voudrait sûrement de ne pas l'avoir informé, surtout après avoir vu son visage.
Elle se rendit rapidement à la salle de bain étendre sur sa peau meurtrie une poudre translucide qui atténuerait sûrement cette couleur bleutée.
Tout à coup, la porte de l'entrée s'ouvrit violemment dans un bruit sourd et bruyant. Instinctivement, son corps se crispa sous la peur.
- Jasmine, tu es là ? cria la voix familière de son frère.
Elle se rua, soulagée, et s'accrocha à lui désespérément.
- Mon dieu… s'exclama le frère en voyant le visage déformé par les coups. Le salaud, qu'a-t-il fait de toi ?
- Ce n'est pas si grave…
- Cesse donc de le défendre, je ne suis pas aveugle, je vois ton visage tuméfié sous ton maquillage.

Quelle en est la raison cette fois ?
- Il m'a frappé avec une chaise parce que je me suis fait couper les cheveux. Il n'a pas apprécié que je prenne cette initiative, alors…
- Le monstre ! Et tu as enfin décidé d'appeler la police ?
- Non, ce n'est pas moi ! répondit la pauvre femme, comme si son frère l'accusait d'un crime atroce.
Elle lui raconta l'histoire de son sauveur et de l'arrivée des policiers.
- Comme j'aurais aimé voir cet homme donner une raclée à Richard ! Il faut que je le remercie. Tu le connais ?
- Non, je sais seulement qu'il s'appelle Carl.
- Jasmine, laisse-moi t'aider cette fois-ci à trouver quelqu'un pour te défendre en cour ?
Démunie devant la requête de son frère, elle accepta.
Il sauta sur le combiné et discuta durant un long moment avec un de ses confrères. Il confirma un rendez-vous à Jasmine le soir même. Il faut battre le fer pendant qu'il est chaud, se plaisait à dire si souvent l'avocat.
- Mais… dit la femme revenant à la réalité. Il faut que je trouve une gardienne pour Marie-Soleil ?
- Ne te défiles pas, Jasmine, tu sais très bien que

Suzie et moi, on se fera un plaisir de garder notre filleule.
Se résignant, elle s'appuya de nouveau sur son frère en versant des larmes de fatigue et de nervosité.
- Jasmine, tu devrais aller consulter un psychologue.
- Je vais faire tout ce que tu veux, j'ai été têtue assez longtemps.
- Cela aurait dû se faire bien avant, soeurette.
- Je regrette tellement de ne pas t'avoir écouté.
- C'est du passé. Tu vas repartir à neuf ; tu es jeune et tu mérites le bien-être que tu attends depuis si longtemps. Maintenant que ta décision est prise, tu verras ton passé s'estomper derrière toi et tu pourras enfin vivre le bonheur que tu cherches tant.
- N'en parle pas autour de toi pour l'instant, je te prie.
- Il le faudra pourtant Jasmine, car si cette affaire est portée devant les tribunaux, ça va nécessairement s'ébruiter.
- Ah non ! Je ne veux pas, dit-elle nerveusement. Alors, je retire ma plainte dès cet après-midi.
- Jasmine, tu es sérieuse ? tempêta le frère qui voyait s'écrouler son dessein. Les commérages ne sont rien, comparés à ce que tu as enduré jusqu'à ce jour…
Les larmes qui couvraient le visage de Jasmine, lui

confirmèrent qu'il avait eu le dessus sur elle.
- Tu te dois de ne pas retirer ta plainte, Jasmine. Tu n'es plus en état de subir des sévices semblables. Tu veux que j'emmène Marie avec moi maintenant ? J'ai terminé ma journée et Suzie serait très contente de me voir arriver avec son petit rayon de soleil.
- D'accord, acquiesça Jasmine impuissante, je prépare ses vêtements.
Elle les regarda partir et vit Marie-Soleil lui envoyer la main. Son cœur se serra dans sa poitrine.
- C'est pour toi que je fais ça ma chérie, et c'est aussi pour préserver ta vie.

Chapitre 2

Jasmine se sentait lasse. Elle se dirigea vers sa chambre et s'étendit sur le couvre-lit aux couleurs florales. Elle essayait d'oublier cette pénible journée. Ses pensées se bousculaient dans sa tête, des pensées qu'elle voulait enfouir au plus profond d'un tiroir dont elle jetterait la clé dans les profondeurs de la mer.

Des images obscènes, d'une rare violence. Elle se releva rapidement et prit quelques comprimés dans la bouteille qui se trouvait sur sa table de chevet.

La femme, dépressive et affaissée, ne se rendit pas compte que cette quantité était considérable. Retombant mollement sur son oreiller, fermant de

nouveau les paupières, les images oubliées l'espace d'une seconde lui revenaient à l'esprit, les visualisant sans en avoir fait la demande. Jasmine gémissait, son front était en sueur et pourtant, elle avait terriblement froid.
- Non ! Non !... criait la femme en délire.
Mais rien à faire : la trame de sa lamentable vie se déroulait devant ses yeux. Elle ne put, impuissante, que revivre une seconde fois son calvaire.

Richard la frappait, la brutalisait, lui faisait vivre des atrocités auxquelles un animal n'aurait pu échapper. Une main à sa gorge, l'homme lui faisait subir des abus monstrueux, démesurés. La douleur était telle que la femme perdait conscience et devenait un pantin entre les mains de cet « abuseur ». Son cœur palpitait dans sa poitrine, ses mains s'engourdissaient lentement. Jasmine avait l'impression que son visage se détachait de son corps ; elle respirait avec difficulté et cette fois, l'écran de cette vie malsaine s'éteignit devant ses yeux.

Jacob, de son côté, regardait dans le rétroviseur l'enfant assise sur le siège arrière qui réclamait son boire. Il freina sa course, se rangea sur le coté de la route et entreprit de trouver la bouteille de l'enfant. Jasmine avait dû l'oublier, pensa l'homme, démuni devant les plaintes de la petite. Il retourna donc sur ses pas afin de combler les désirs de la douce enfant. Il entra dans la maison sans frapper et scruta les lieux à la recherche de sa sœur.

- Jasmine... Tu es là ?

Aucune réponse à son appel. L'homme devint nerveux, agité, le pressentiment d'un drame lui serrait la gorge. Il ouvrit toute grande la porte de la chambre et, dès l'instant où il aperçut la bouteille de comprimés renversée sur la table, il laissa échapper un cri d'effroi.

- Jasmine... Jasmine, prononça l'homme nerveux.

Le corps de la femme était semblable à celui d'une poupée de chiffon tellement ses réactions étaient nulles. Jacob palpa son pouls qu'il détectait à peine. Il se précipita sans tarder sur le téléphone et appela le service ambulancier. Il courut chercher la petite qui était restée seule dans la voiture et la ramena avec lui mais en évitant que celle-ci voit sa mère dans cet état. L'ambulance mit peu de temps à arriver. Jacob les avisa au plus vite qu'elle avait ingurgité une forte dose de médicaments. Il téléphona à sa femme, lui expliqua rapidement la

situation et lui demanda de venir le rejoindre au centre hospitalier. Quand Jasmine passa près de lui sur une civière de métal, il pria le ciel qu'il ne soit pas arrivé trop tard.
Il roulait à toute vitesse afin de suivre l'ambulance.
Il resta surpris en regardant dans son rétroviseur : l'enfant, sa bouteille à la main, se désaltérait.
Lorsque Jacob entra dans l'établissement d'urgence, Suzie, sa femme, s'y trouvait déjà.
- Elle n'a pas tenté de…
Les mots s'éteignirent dans sa bouche.
Jacob, la mine défaite, lui fit un signe affirmatif.
Ce fut l'attente, cette pénible attente qui nous laisse dans un état d'impuissance totale. Après deux heures de souffrances psychologiques, ils virent une femme vêtue de blanc se diriger vers eux.
- Jacob Dufour ? Je suis Cynthia Gagnon. Votre sœur est dans un état stable pour le moment. Nous lui avons prodigué un lavement d'estomac et je crois qu'elle va s'en tirer.
Jacob et Suzie soupirèrent… Le frère se surprit de rendre grâce à cette femme qui venait de sauver la vie de la seule sœur qu'il avait au monde.
- Votre sœur est-elle en consultation avec un spécialiste, présentement ?
- Non, elle devait le faire aujourd'hui même.

- Veillez à ce qu'elle consulte rapidement, car elle est vraiment dans un état dépressif avancé.
- J'y veillerai, docteur Gagnon, vous pouvez vous fier à moi.
- Tenez, fit la docteure en tendant une carte à Jacob. C'est le meilleur psychologue que je connaisse ; il est humain et très près de ses clients. Je vous le recommande.
- Docteure, dit Suzie qui n'avait guère parlé jusqu'à cet instant, peut-on la voir ?
- Oui, répondit la femme en faisant des caresses à l'enfant que Suzie tenait dans ses bras depuis quelques minutes. Suivez-moi. Cette adorable petite est la vôtre ? demanda le docteur à Jacob.
- Non, c'est l'enfant de ma sœur.
Le visage de la femme se rembrunit.
- Faites comprendre à votre sœur, Monsieur Dufour, que cette merveilleuse petite fille est une bonne raison de vouloir s'en sortir.
- J'essaierai, Docteure et de toutes mes forces.

*****

Jasmine rêvait d'un merveilleux paysage, d'une

clairière où apparaissait un étang entouré de fleurs sauvages et multicolores. Le soleil faisait miroiter les centaines de plantes dans cet eau limpide qui dansait au gré de la brise... ce qui donnait l'impression de se retrouver devant un gigantesque bouquet sauvage qui valsait au rythme de la nature. Ce qu'elle remarqua, par-dessus tout, fut le calme, la sérénité, la tranquillité des lieux. Une sensation qu'elle avait peine à vivre, à ressentir, tellement elle en avait oublié l'effet régénérateur.

Au-dessus de ce décor éclairé par un faisceau lumineux, apparut une brume blanchâtre, laiteuse. Jasmine pouvait à peine distinguer une forme, une figure.
Son cœur fit un bond dans sa poitrine lorsqu'elle reconnut son enfant en pleurs qui lui tendait les bras avec détresse. Elle voulut capturer ce nuage, l'amener vers elle, s'en emparer, mais... il disparut, emportant avec lui l'ange qui l'habitait. Jasmine criait, gémissait, demandait de l'aide afin que quelqu'un lui redonne sa petite fille, mais elle était seule dans cet endroit serein, à vivre ce terrible deuil.
Au loin, elle entendait son nom ; elle cessa de gémir afin de capter cette voix qui lui semblait réelle.

Chapitre 3

- Jasmine… Jasmine…

Elle eut du mal à retrouver la vue tellement ses paupières étaient lourdes. Quand enfin, elle réussit, la première personne qu'elle vit, fut sa fille.

- Marie, murmura la malade en lui tendant les bras.

Suzie déposa l'enfant près d'elle et Jasmine la serra sur son cœur.

- Où suis-je ? émit Jasmine qui venait de réaliser qu'elle ne se trouvait pas chez elle.

- À l'hôpital, répondit Jacob.

- À l'hôpital ! répéta-t-elle, ébahie. Qu'est-ce que je fais ici ?

- Tu ne te souviens pas ?

- Me souvenir de quoi… Je me sentais fatiguée, j'ai pris des comprimés et je me suis endormie.
- Tu en as pris combien, Jasmine ?
- Je ne sais pas… peut-être deux, trois… Je ne pourrais dire.
- Tu en as sûrement pris un peu plus car tu étais comateuse lorsque je t'ai retrouvée.
Sa mémoire s'éclaircit: elle n'avait pas pris la peine de compter, Jacob avait bien raison. Elle réfléchissait à tout ça dans son for intérieur. En avait-elle pris pour effacer temporairement les images atroces qui habitaient son esprit, ou pour les voir disparaître à jamais ?
Elle s'était recroquevillée sur elle-même dans un profond mutisme. Tout le monde avait quitté la chambre sauf Jacob, qui vint prendre place près d'elle sur le lit.
- Pourquoi avoir voulu t'enlever la vie, soeurette ?
- Je ne voulais pas le faire, Jacob, j'ai été imprudente en prenant ces médicaments sans en vérifier la quantité.
- Tu dis vrai, Jasmine ?
- Je pense que oui, je ne sais plus… ajouta la femme, peu convaincante.
- Repose-toi, je reviens te voir ce soir, d'accord ?
Et avant que l'homme n'ait franchi la porte, elle

dormait déjà d'un profond sommeil.

Jasmine put obtenir son congé de l'hôpital, dès le lendemain. Jacob avait téléphoné pour elle à un spécialiste en psychiatrie ; elle avait rendez-vous la semaine suivante en après-midi.
Jasmine n'en menait pas large ; elle se refermait sur elle-même, se laissant guider corps et âme par son frère qui la voyait dépérir de jour en jour.

Une semaine s'était écoulée et la jeune femme semblait aller mieux. Elle exprima le désir de conduire elle-même la voiture pour se rendre à ses rendez-vous.
L'avocat, que lui avait désigné son frère, était en fait, une avocate ; Jasmine se sentait un peu plus à l'aise de lui raconter ses problèmes. Depuis plus de deux heures maintenant qu'elle lui posait des tas de questions.
- Vous êtes fatiguée, Madame Dubois ?
- J'aimerais que vous m'appeliez « Jasmine » ! Je ne veux plus entendre le nom de Dubois, hurla la femme, offusquée.
- D'accord, Jasmine, détendez-vous, je n'utiliserai plus ce nom. J'en sais assez pour monter un bon dossier. Si j'ai besoin d'autres renseignements, ou

si jamais vous vous rappeliez de quelque chose de très important, faites-le-moi savoir.
L'avocate lui serra la main chaleureusement.
- Jasmine, vous devriez consulter un psychologue.
Pour la première fois depuis longtemps, elle sourit.
- C'est la troisième fois que je me le fais dire, en moins d'une semaine... j'ai rendez-vous demain.
- Parfait, conclut l'avocate, rassurée. Gardez votre courage, vous en aurez besoin.
Elle filait vers la maison de son frère quand elle vit sur le bord de la route quelqu'un qui lui faisait signe d'arrêter.
Elle sentit la panique, ralentit sa course et regarda le personnage connu se diriger vers elle.
- Mais, sacrebleu, vous êtes mon ange gardien !
- Monsieur... Carl ! balbutia la femme.
- C'est bien moi, je suis encore en panne, mais cette fois, avec mon auto. Vous savez, il y a des semaines comme ça. Vous voulez m'emmener à la prochaine station-service ?
- Montez !
- Comment allez-vous ?
- Un peu mieux, j'arrive d'une consultation avec un avocat.
Il la regarda en souriant.
- Ça vous rend joyeux d'être en panne sans cesse ?

- Non, mais je sais qu'il y a pire dans la vie et vous le savez aussi, madame, n'est-ce pas ?
Elle n'ajouta mot, mais savait qu'il avait raison. Elle aimait voir comment il prenait les inconvénients de la vie si allègrement... ce qui n'était pas son cas, à elle.
Elle stoppa à la station d'essence.
- Merci, vous m'avez rendu un très grand service.
- Non, je vous remets seulement celui que vous m'avez rendu vous-même.
Il lui fit signe de la main et elle le regarda disparaître derrière la porte de la station.
Lorsqu'elle arriva chez son frère, sa belle-sœur l'accueillit avec chaleur.
- Jasmine, comment vas-tu ?
- Je suis épuisée... mon avocate n'y va pas avec le dos de la cuillère... Où est Marie-Soleil ?
- Suis-moi.
Elle ouvrit la porte de sa chambre et Jasmine vit son frère endormi dans le lit avec l'enfant dans ses bras.
- Comme ils sont mignons ! Marie aime tellement Jacob...

Les femmes bavardaient depuis un bon moment au salon. Jasmine tempêtait régulièrement ces temps-

ci, ce qui inquiétait sa belle-sœur, consciente que Jasmine était beaucoup plus dépressive qu'elle ne le croyait. La femme nerveuse se mit à bâiller.
- Oh ! pardonne-moi, dit Suzie, tu dois être épuisée avec tout ce qui s'est passé aujourd'hui !
- Oui, je vais aller réveiller la petite.
- Pourquoi ne dormirais-tu pas avec moi dans la chambre d'amis ? Ça nous rappellerait quelques souvenirs... proposa Suzie avec un certain regard enfantin.
Jasmine se disait, en effet, qu'elle n'avait pas envie de retourner seule à la maison et accepta la proposition de Julie.
- Vas-y, je range un peu et je te rejoins.

Jasmine ne dormait pas, car aussitôt les yeux fermés, les paroles de son mari lui revenaient en mémoire. Toujours cette crainte de revivre en images les instants atroces de sa vie conjugale... Elle sombra tout de même dans un sommeil cousu de cauchemars.
Richard lui serrait la gorge, la traitait de putin et de salope. Elle ne pouvait pas crier : aucun espace n'était libre dans sa gorge pour laisser l'air s'infiltrer et ça lui faisait mal. Elle vit un couteau sur le comptoir et le saisit en le cachant derrière

son dos sans que Richard ne la voit. Quand il se retourna, elle le lui enfonça en plein coeur. C'est à ce moment qu'elle hurla sa terreur.
- Réveille-toi, Jasmine, réveille-toi ...
Elle accrocha Suzie par le bras et continua à crier de plus belle.
Jacob entra dans la chambre, tout endormi.
- Jasmine, - il la leva carrément dans le lit et la regarda se débattre - c'est moi, c'est Jacob.
- Oh ! mon dieu, je l'ai tué, il m'étranglait et je l'ai tué.
- Non, tu as fait un rêve, ce n'est qu'un rêve, petite sœur.
Elle regarda autour d'elle, un peu perdue et se recoucha.
- Pardon, j'aurais dû aller dormir à la maison.
- Mais non, insista Suzie, qu'aurais-tu fait, seule chez toi ?
- Je n'ai pas réveillé Marie-Soleil au moins ?
Au même moment, ils virent une petite frimousse sur le seuil de la porte.
- Maman !
- Viens, ma chérie.
L'enfant sauta sur le lit et se colla sur sa mère.
- D'accord, j'ai compris, obtempéra Suzie avec une mine enjouée. Je retourne dans ma chambre et je

te laisse ma place, petite coquine.
Jacob resta quelques instants avec sa sœur et la regarda s'endormir dans les bras de son enfant.
- Veille sur elle, Seigneur, elle en a besoin…

Il avait souvent entendu sa mère prononcer ces paroles auprès de son lit avant de s'endormir. Il regrettait de ne plus l'avoir près de lui et encore plus en ce moment, car il savait combien Jasmine aurait eu besoin de son soutien et de son amour.
Mais la vie en avait décidé autrement et un matin de février, alors qu'il n'avait que vingt ans et Jasmine, seize, un policier était venu leur annoncer le décès de leurs parents… un accident d'avion.
Jacob avait pris sur ses épaules la lourde tâche de protéger sa sœur. Pourtant, depuis quelques années, il avait perdu le contrôle devant ce beau-frère minable.
Il passa la main dans ses cheveux en se rappelant combien Jasmine avait pleuré. Il l'embrassa tendrement sur le front, remonta les couvertures et quitta la pièce, encore bouleversé par ce drame.
Jasmine fut agitée toute la nuit. Au matin, elle se sentait nerveuse et anxieuse.
Suzie l'accueillit avec le sourire
- Tu n'as pas bien dormi, n'est-ce pas ?

- Non, en effet. Dis-moi, tu crois qu'ils vont garder Richard encore en prison ?
- Oui, répondit son frère qui venait d'entrer, mais ils vont le relâcher.
Jasmine sentit son cœur bondir dans sa poitrine.
- Mais... Il va revenir à la maison ?
- Je crois que non, car on lui a sûrement demandé de ne pas te voir jusqu'au procès.
Elle se leva et s'élança sur Jacob.
- J'ai peur, il va me retrouver, j'en suis certaine.
- Sois sans inquiétude, je vais veiller sur toi.
- Oui, mais il faut que je retourne à la maison un jour !
- Je sais, je me suis arrangé avec Suzie : je resterai avec toi quelques jours au cas où il déciderait d 'aller quand même te voir.
- Non, Jacob, je ne peux pas vous séparer ainsi.
- Ne t'en fais pas, répliqua sa belle-sœur, lorsque je m'ennuierai, j'irai vous voir.
- Non, je refuse. Il faudra un jour ou l'autre que je m'habitue à vivre seule avec ma fille.
- Je demanderai à la police que tu sois sous surveillance... Est-ce que tu peux te le payer Jasmine ?
- Oui, je le peux.
- Alors, j'appelle tout de suite.
- Suzie, j'ai encore un service à te demander. Tu peux

garder Marie pour l'après-midi ? J'ai un rendez-vous chez le psychologue ?
- Avec plaisir... Si ton frère pouvait se décider à me faire un enfant !
- Ça viendra, ma chérie, mais le travail avant tout. On avait convenu de cela ensemble, tu te souviens ?
- Oui, je m'en souviens, mais je le regrette maintenant. Heureusement, j'ai ma petite Marie pour combler ce vide et alléger ma peine.
Jasmine savait que son enfant était entre bonnes mains avec Suzie. Elle la serra dans ses bras.

Angoissée, elle arriva plus tôt à son rendez-vous.
- Bonjour, je suis Jasmine Dufour.
- Bonjour, vous êtes à l'avance, dit la secrétaire avec un sourire jovial.
- Oui, je sais, mais j'attendrai.
- Aucun problème, le docteur vous attend.
Angèle, la secrétaire se leva en voyant Jasmine toute tremblante. Elle lui prit la main gentiment.
- Venez avec moi, vous verrez le docteur est très gentil.
Ceci ne la rassura pas pour autant.
- Je crois que je reviendrai une autre fois, je ne me sens pas très bien.
- Allons, c'est seulement la nervosité.

Jasmine se laissa traîner par la secrétaire qui semblait très patiente.
« Elle doit en voir de toutes les couleurs », pensa Jasmine au fond d'elle-même.
En entrant dans le bureau, elle faillit fuir à toutes jambes.
- Madame Dubois… dit aussitôt Carl, surpris.
- Monsieur Carl…
- Merci Angèle, vous pouvez sortir.
- Vous êtes psychologue ?
- Oui, depuis quatorze ans maintenant.
Elle retourna vers la porte.
- Je regrette, mais je ne me sens pas très bien.
Il arrêta son geste et la guida doucement vers un siège.
- Calmez-vous un peu, Madame.
- Appelez-moi Jasmine vous voulez, je déteste le mot « madame ».
- D'accord, Jasmine, vous avez fait un bon choix. En consultant vous aurez l'aide nécessaire pour vous aider à vous en sortir.
- Je n'avais pas le choix ; on me l'a proposé trois fois dans la même semaine.
En songeant qu'elle devait tout raconter à cet homme, elle sentit la nausée lui monter jusque dans la gorge.

Il s'aperçut de la blancheur de son visage.

- Vous allez bien ?

- Non, je peux aller à la salle de bain ?

Il l'accompagna et resta près d'elle jusqu'à ce qu'elle soit soulagée. Il l'aida même à essuyer sa bouche avec une serviette humide. Elle aurait voulu se voir six pieds sous terre.

- Vous allez mieux maintenant ?

Elle leva les yeux vers l'homme qui était devant elle et se mit à pleurer bêtement.

- Je ne me souviens du moment où quelqu'un s'est occupé de moi de cette façon.

- Venez vous asseoir.

Il lui apporta un verre d'eau qu'elle avala avec lenteur.

- Dites-moi Jasmine, quel âge avez-vous ?

- Vingt-neuf ans.

- Vous travaillez à l'extérieur ?

- Non, mon mari ne voulait pas.

- Vous avez une petite fille, n'est-ce pas ?

- Oui, Marie-Soleil.

- Vous avez envie de me raconter votre histoire ?

- Pourquoi, coupa-t-elle surprise, j'y suis obligée ?

- Mettons les choses au clair, si vous le voulez bien. Vous n'êtes pas ici devant un juge ; vous êtes devant un ami qui veut vous venir en aide et vous aider à

vous en sortir. Mais tout ceci ira à votre rythme à vous.

Les larmes s'étaient remises à couler sur son visage.

- Délivrez-moi de cette peur ; c'est tout ce que je vous demande.

- Je vais essayer, je vous le promets.

- J'aimais Richard à la folie, il était gentil et compréhensif. Nous nous sommes rencontrés dans un petit bar de la région.

- Avait-il bu ce soir-là ?

- Légèrement. Nous nous sommes fréquentés durant six mois et, un jour, il m'a demandé de l'épouser.

- Comment était-il durant les six mois de vos fréquentations ?

- Gentil, attentionné...

- Il n'a jamais levé la main sur vous ?

- Non... oui, une fois, il a failli. C'était Noël et j'avais acheté une robe décolletée pour lui faire plaisir. Après la soirée, en me ramenant à la maison, il me l'avait déchirée en lambeaux sur le dos.

- Il avait bu à ce moment-là ?

- Mais le lendemain, il le regrettait... ajouta aussitôt la femme, comme pour défendre les gestes de l'homme.

- Il était ivre ou pas ?

- Oui, lança-t-elle dans un souffle.

- Continuez.

- Vous ne prenez pas de notes ?

- Vous voulez que j'en prenne ?

- Non. Un mois avant notre mariage, il m'a demandé de cesser de travailler : il disait qu'il faisait assez d'argent pour me faire vivre. Ce n'est que plus tard que j'ai compris qu'il avait fait cela parce qu'il était trop jaloux.

- Où travailliez-vous, Jasmine ?

- J'étais secrétaire de ma municipalité.

- Vous aimiez votre travail ?

- Oui, j'adorais travailler avec le public.

- Alors, vous avez cessé de travailler après votre mariage ?

- Non, un mois avant.

- Votre mari, avant le mariage, allait-il vous voir tous les soirs ?

- Oui, il venait souvent la semaine, mais pas toujours la fin de semaine, car son travail l'amenait à voyager.

- Il ne vous emmenait jamais ?

- Non.

- Quel travail, au juste, avait-il ?

- Dans la construction, il était contremaître pour une grosse entreprise.

- Vous ne trouviez pas cela décevant qu'il ne vous emmène jamais ?
- Non, de toute façon, il ne me le demandait pas.
- Jasmine, je vais vous poser une question assez personnelle. Si vous ne voulez pas répondre, vous en avez le droit, d'accord ?
- D'accord.
- Avez-vous eu des relations sexuelles avec votre mari avant le mariage ?
Elle baissa les yeux comme si elle avait honte.
- Non, jamais, murmura-t-elle tout bas.
- Et après le mariage, comment ça se passait dans votre couple ?
- Les premiers mois, c'était bien, mais c'est par la suite que cela s'est détérioré.
- Expliquez-moi.
- Un soir, à peine six mois après notre mariage, il est rentré très tard. Il avait bu. Je me suis levée pour lui offrir de lui préparer quelque chose à manger, car je croyais qu'il arrivait de travailler. Il a crié parce que la soupe était trop chaude et il me l'a lancée à la figure.
- Qu'avez-vous fait ?
- Rien, j'étais trop surprise et effrayée. Il m'a attrapée par les cheveux et m'a frappée en plein visage.

Elle se leva de son siège, tout en sueur.
- Je criais, pleurais et pourtant, je savais que personne ne pouvait m'entendre. Il aurait pu me tuer et personne ne serait venu.
Carl s'était levé à son tour et vint calmer la jeune femme.
- Ça suffit pour aujourd'hui.
Mais dans sa rage, elle continua.
- Ensuite, il m'a traînée jusque dans la chambre par les cheveux et il m'a forcée à faire l'amour comme une bête. Il me faisait mal, mais il s'en foutait : il continuait son manège.
Elle s'élança dans la salle de bain une seconde fois et soulagea son malaise.
Carl en avait vu bien d'autres depuis qu'il avait ouvert son cabinet, mais ce petit bout de femme le touchait droit au cœur… lui qui, d'habitude était solide comme un roc. Il la coucha sur un sofa et essuya son visage tout en larmes.
- C'est tout, pour l'instant ; reposez-vous un peu, je reviens dans quelques instants.
Jasmine ferma les yeux et laissa le temps à son cœur de reprendre une allure normale. Il revint quelques minutes plus tard.
- Ça va mieux, Jasmine ?
- Oui.

Elle se releva légèrement.
- Mais je me sens terriblement épuisée.
- J'ai terminé ma journée, je vais vous reconduire chez vous.
Elle accepta, car elle se sentait incapable de tenir le volant.
Dans la salle d'attente, la secrétaire l'arrêta.
- Vous allez vous en sortir, ma petite dame, le docteur Anctil est un très bon spécialiste, sinon le meilleur. Il va vous aider à passer à travers ces moments difficiles.
- Merci, dit Jasmine, rouge de gêne.
- Jasmine, demanda le médecin, si cela ne vous dérange pas, on prend votre voiture, car la mienne est encore au garage.
Elle lui remit les clés, s'appuya sur le dossier et ferma les yeux.
- Vous avez mangé aujourd'hui ?
- Oui, j'ai déjeuné ce matin.
- Il est plus de seize heures, vous avez sûrement faim ?
- Non, pas du tout, je ne pense qu'à dormir.
- Vous m'indiquez la route, si vous voulez ; je la connais par mer et non par la terre.
Elle réussit à esquisser un sourire.
Lorsqu'elle arriva dans la cour de sa demeure, c'est

à ce moment qu'elle pensa à sa fille.

- Mon dieu, j'ai oublié d'aller chercher Marie-Soleil.

- Vous pouvez téléphoner ?

Elle hésita un peu à sortir de la voiture. Carl remarqua qu'elle regardait partout, comme pour inspecter.

- Venez, j'entre avec vous.

À son tour, il scruta les lieux quand il aperçut une silhouette sur le quai.

Jasmine le vit et se mit à crier très fort. Elle regardait l'homme se diriger vers eux en courant. Il fit éruption par la porte-fenêtre.

Chapitre 4

- Qui êtes-vous, demanda Carl ?
- Je suis là pour la protection de Madame Dubois. Un certain Jacob m'a téléphoné aujourd'hui pour que je surveille les lieux vingt-quatre heures par jour.
Carl regarda Jasmine.
- Oui, c'est vrai... j'avais oublié.
- Je peux voir vos papiers ? exigea Carl encore incertain.
L'homme les lui tendit sans gêne et il les regarda longuement. Après un certain temps, il lui tendit la main.
- Je suis Carl Anctil, le psychologue de Madame Dubois. On se verra sûrement de temps en temps.

- Pas de problème, Monsieur, du moment que je sais qui entre et sort d'ici.

Il s'éloigna.

- Vous voulez un café, Docteur ?

- Non, je voudrais bien manger quelque chose. Il doit bien y avoir un restaurant qui fait la livraison dans le coin ?

Elle lui tendit les feuillets de quelques restaurants.

- Vous mangez quelque chose ?

- Non, merci.

- Si, vous allez manger avec moi, je déteste manger seul.

- Votre femme, elle ne mange jamais avec vous ?

- Jamais, car je n'en ai pas.

Elle resta surprise, mais ne fit rien paraître.

- Bon, juste une salade de poulet.

Il saisit le téléphone et commanda leur souper.

- C'est vous qui avez eu l'idée du garde du corps ?

- Non, c'est mon frère.

- Vous ne deviez pas appeler pour la petite ?

Elle se précipita sur l'appareil, furieuse d'avoir encore oublié son enfant.

- Jacob ?

- Jasmine, où es-tu ?

- À la maison, je vais aller chercher Marie plus tard.

- Ton gardien est là ?

- Oui, j'ai eu tellement peur.
- Et ton rendez-vous, comment cela s'est-il passé ?
- Bien.
- Tu n'as pas l'air très enthousiaste. Le docteur Anctil est un des meilleurs spécialistes, tu sais !
- Oui, je sais, il est ici. Il m'a reconduite à la maison.
- Passe-le-moi, tu veux ?
- Un moment.
- Docteur Anctil, c'est Jacob Dufour du barreau. On a souvent fait affaire ensemble pour défendre des causes…
- Jacob… Eh bien, le monde est petit ! C'est toi qui m'as envoyé ta sœur ?
- Non, c'est le docteure Gagnon. Mais j'y pense : Jasmine m'avait parlé d'un certain Carl qui avait étendu mon beau-frère au plancher. Ne me dis pas que c'est toi ?
- Eh ! oui, c'est bien moi.
- J'aurais voulu que tu lui casses la gueule, à ce salaud.
- Ne parle pas comme ça, Jacob, tu connais mon opinion…
- Oui, je sais, pour toi il y a espoir en toute personne. Mais tu ne connais pas mon beau-frère ; c'est une exception à la règle.
- Je ne crois pas, je pense qu'il est malade, c'est

tout.
- Tu es toujours célibataire ?
- Oui, toujours. Que veux-tu ? Je n'ai pas le temps de trouver et de m'occuper d'une femme.
- Faudra que tu y penses bientôt si tu veux des enfants, mon vieux. Tu voudrais me repasser ma sœur, s'il te plaît ?
- D'accord. Au plaisir de se voir, prochainement j'espère.
- Sœurette, je suis un peu déçu, car j'avais prévu emmener la petite au parc après le souper. Laisse-la-moi encore une nuit.
- J'accepte Jacob... je suis tellement épuisée... et peut-être vais-je mieux dormir ce soir. Merci pour tout ce que tu fais pour moi, je t'aime tellement!
- On t'aime, nous aussi, Jasmine. Et ne t'inquiète pas de Marie : on va en prendre soin.
Le carillon de la porte se fit entendre. Ils virent arriver le garde.
- Ça va, confirma Carl en s'adressant à la sentinelle, c'est seulement un livreur.
Jasmine se surprit à manger plus que prévu : elle avait dévoré toute sa salade et une pointe de la pizza végétarienne de Carl.
- Hé ! Vous me volez ! lutina Carl pour chasser un peu le silence qui régnait dans la pièce.

- Pardon, dit-elle en lui remettant la pointe déjà consommée à demi.
Il regretta aussitôt sa moquerie et posa sa main sur celle de la femme embarrassée.
- Je blaguais Jasmine, répliqua Carl, vous pouvez en manger si vous le voulez.
Son regard sombre examina celui du médecin, comme si la jeune femme cherchait à comprendre le sens de ses paroles. Elle essayait de se convaincre que ce spécialiste était quelqu'un de bonne foi, sincère, et pourtant, elle avait toujours cette crainte qui lui déchirait l'estomac dans les moments de panique et d'insécurité. Elle laissa le morceau de pizza à l'écart et offrit un café au médecin qui semblait l'épier sans arrêt.
- Vous le prenez comment, votre café, Docteur ?
- Appelez-moi Carl, rectifia l'homme pour la mettre un peu à l'aise et cessez en même temps cette marque de respect.
Carl considérait ses patients comme lui-même : un être humain qui en aide un autre. Il vit Jasmine sursauter lorsqu'ils entendirent la sonnerie du téléphone.
- Vous voulez que je réponde pour vous ? fit l'homme déjà debout près du combiné.
- Non merci, dit-elle d'une voix tremblante en

décrochant elle-même l'appareil.
- Jasmine, c'est Richard....
Carl la vit tomber assise sur le divan en portant la main à son cœur.
- Sors-moi d'ici. J'avais juste un appel à faire et c'est à toi que j'ai pensé. On me garde en prison jusqu'au procès... Fais quelque chose et vite, ma chérie !
Elle eut un haut le coeur en entendant ses dernières paroles. Carl la voyait trembler de tous ses membres.
- Jasmine, tu m'écoutes, bordel de merde ?
Voilà, marmonna-t-elle au bord des larmes, il recommençait à crier encore une fois. Elle raccrocha le combiné, faisant fi de l'homme à l'autre bout du fil qui continuait à blasphémer. Les yeux perdus dans le néant et le corps secoué de spasmes, la femme se laissa aller dans un silence complet.
- C'était lui, demanda le médecin ?
Elle confirma d'un signe de tête, trop bouleversée pour répondre de vive voix.
- Il avait besoin de votre aide, je suppose ?
- Oui, il voulait que je lui vienne en aide afin qu'il soit libéré en attente du procès.
- Vous voulez le libérer, Jasmine ? demanda Carl, empressé de connaître sa réponse.
- Non ! Non, j'ai peur de lui. Je veux qu'il demeure

en prison pour le reste de sa vie. Je ne veux plus le voir.
- Non, Jasmine. Un jour, il faudra lui faire face.
- Pas maintenant, non pas maintenant, je ne veux pas, insista la femme, envahie d'une peur atroce.
Le médecin vint la rejoindre sur le divan et la serra dans ses bras pour la consoler. Quand il entendit le sifflet de la bouilloire, Carl n'osait pas se détacher de ce petit être, tellement fragile.
- Je vais prendre un bain, lança la femme encore sous le choc de l'appel. Prenez votre café si vous voulez, moi, je n'en veux pas.
Carl était attablé et perdu dans ses pensées lorsqu'il entendit à nouveau la sonnerie du téléphone retentir. Il se leva et décida de prendre l'appel afin de ne pas déranger la jeune femme.
- Allô…
- Qui êtes-vous ? cria une voix remplie de rudesse et de brutalité.
- Vous, qui êtes-vous ? reprit Carl sur le même ton agressif.
- Je suis le mari de Jasmine et je veux lui parler immédiatement ! ordonna l'homme sur un ton de commandement.
- Je regrette, annonça le médecin dont le timbre de voix avait changé afin d'éviter une escalade du

comportement de l'homme cynique à l'autre bout du fil.
- Je vous ordonne de me la passer, est-ce bien clair ? gueula Richard au comble de l'hystérie.
- Dans la situation où vous êtes, vous n'avez d'ordres à donner à personne, il me semble, dit Carl d'un ton si apaisant qu'il se surprit lui-même.
- Dites-lui que quelqu'un a payé ma caution et que je serai à la maison dans quelques minutes, ajouta le prisonnier avec un ton moqueur. Je ne veux pas vous voir chez-nous. Avez-vous bien compris cela, qui que vous soyez ?
- À tantôt, Monsieur Dubois, dit simplement Carl avant de déposer le combiné.
Il alla directement sur le patio aviser le gardien et retourna à l'intérieur avertir la femme.
Il frappa à la porte de la salle de bain.
- Jasmine… Jasmine…
Il en était à sa troisième tentative sans obtenir de réponse. Il s'élança de toutes ses forces dans la porte fermée à double tour et la brisa d'un seul coup, étant certain de retrouver la jeune femme inconsciente dans son bain. Il tira le rideau à toute vitesse et l'aperçut étendue dans l'eau, les larmes aux yeux, avec un écouteur-radio sur les oreilles.
Jasmine laissa échapper un cri d'effroi en voyant

cet homme près d'elle. Carl la saisit dans ses bras afin de calmer ses hurlements et s'excusa de sa maladresse.
- Jasmine, il faut vous préparer à recevoir votre mari qui…
- Quoi ! cria-t-elle, les yeux remplis d'angoisse.
- Richard a été libéré et il entre à la maison.
- Non, ne le laissez pas entrer, cria-t-elle, hors d'elle-même, il va me tuer !
Carl avait un mal fou à penser professionnellement. Il couvrit le corps de la femme, encore rougi par la chaleur de l'eau, avec une serviette en éponge et la guida vers sa chambre à coucher.
- Je vous supplie de ne pas le laisser entrer, implora la femme au bord du désespoir.
Carl demanda à Jasmine de se couvrir, car il n'arrivait pas à penser correctement tellement ce corps le dérangeait. Il ajouta pour sécuriser la femme :
- Soyez sans crainte, je reste avec vous.
Il sortit de la pièce aussitôt, bouleversé par sa réaction si peu convenable devant sa cliente. Il se maudit intérieurement de se sentir attiré par cette femme. Il la vit sortir, frissonnante et la figure cirée par la peur.
- Venez, allons au salon.
- Non, répliqua-t-elle aussitôt, je reste ici.

Il la tira de force et la guida dans la pièce.
- Jasmine, il faut affronter votre mari…
- Non, je ne veux pas.
- Il ne vous touchera pas, je vous le promets.
- Je suis incapable de le voir ; il me fait terriblement peur. Qui a bien pu payer pour le faire libérer ?
- Je n'en sais rien, mais il sera là d'un moment à l'autre.
Au même moment, ils entendirent une clé dans la serrure de la porte d'entrée.
- Jasmine, tu es là ? minaudait Richard en pénétrant dans la pièce.
- Non, je ne veux pas, chuchota la femme en pleurs se coulant vers le médecin.
- Si, vous le pouvez, l'encouragea Carl.
Elle se leva en titubant légèrement et lorsqu'elle l'aperçut, elle figea sur place.
Carl, caché au bon endroit près de la porte du salon, pouvait apercevoir la scène très clairement.
- Qui était ici tout à l'heure ? hurla son mari en fulminant de rage.
Jasmine était toujours de pierre. Richard s'approchait dangereusement.
- Réponds-moi, petite garce ! lança l'homme hors de lui. Qui était avec toi lorsque j'ai appelé tout à l'heure ?

- Personne, réussit-elle à prononcer.
Il se jeta à ses pieds comme un trouillard.
- Ne me laisse pas moisir en prison, ma chérie, j'ai besoin de toi et de la petite. Je ne recommencerai plus, je te le promets ! Laisse-moi une autre chance, supplia l'homme avec maladresse.
Carl voyait Richard caresser les jambes de sa femme. Il se demandait bien quelle serait la réaction de la jeune femme. Elle recula d'un pas et, par la respiration qu'elle venait de prendre, Carl savait qu'elle allait exploser d'un moment à l'autre.
- Va-t'en, Richard, je ne veux plus te voir.
- Tu as oublié, rappela l'homme en se redressant, que c'est moi qui mène dans cette maison. Alors, suis-moi dans la chambre à coucher, petite garce !
Jasmine, hors d'elle-même, s'arracha aussitôt de son emprise.
- Ne me touche plus jamais ou je te tue.
Carl entendit le rire cristallin de Richard.
- Tu peux rire si tu veux, mais je te jure que si tu lèves le petit doigt sur moi, je te tue ! répéta la femme qui avait perdu, cette fois, le contrôle de ses sens.

De l'angle où se trouvait Carl, il ne pouvait plus voir les deux occupants... Le couple avait dû changer de

position. Il entendit des pas rapides et ensuite, la voix de Richard.
- Lâche ce couteau, Jasmine, immédiatement.
Carl resta muet de stupéfaction. Elle le fera, pensa-t-il au fond de lui. Si je n'interviens pas, elle fera ce qu'elle prémédite depuis longtemps.
- Tu es folle, tonnait son mari.
- Oui, je suis folle et c'est toi qui m'as rendue ainsi. Et je te promets que, si tu approches, il n'y aura plus aucune femme qui souffrira de tes sarcasmes et de tes beuveries. Tu as terni ma vie, tu m'as détruite et aucune autre ne subira le sort que j'ai subi.
Pour la défier, il s'approcha d'elle lentement.
- Laisse ce couteau, Jasmine.
- Non...
Et dans un geste brusque, Richard arracha l'instrument meurtrier des mains de la femme dépressive. Il empoigna ses cheveux et plaça sa main sur sa bouche.
C'est à ce moment que Carl fit signe aux policiers de s'introduire. D'un coup de pied, la porte d'entrée vola en éclat.
- Lâchez votre femme immédiatement, ordonna un policier, genoux par terre et arme pointée vers l'homme.

Carl baissa les yeux, n'en pouvant plus de voir la détresse dans ceux de Jasmine.
- Sortez d'ici ! cria Richard, fou de rage.
Il relâcha légèrement son étreinte et la femme en profita pour se ruer sur le couteau qui était tombé au sol quelques instants auparavant.
- Non, Madame Dufour ! cria un autre agent de police.
- Vous voyez, cria son mari en profitant de la situation, c'est elle qui est folle. Elle veut me tuer.
- Madame Dufour, dit un policier d'une voix douce et convaincante à la fois, laissez tomber cette arme.
- Non, jamais. Je vais le tuer devant témoins. Je vais me débarrasser de ce truand, de ce salopard.
Richard blanchit devant les paroles de sa femme.
Les policiers s'affairaient à calmer Jasmine tout en passant les menottes à Richard, quand celui-ci aperçut Carl sortir du salon. Il reconnut aussitôt Carl : l'homme qui l'avait fait arrêter antérieurement. Il voulut s'arracher des mains des policiers pour lui sauter au visage.
- Sale putain, c'est avec lui que tu me trompes !
- Madame Dufour…
Les policiers essayaient toujours de négocier avec Jasmine qui, de son côté, avait oublié tous les gens qui se trouvaient autour d'elle. Elle ne voyait que

l'image de son mari mort par terre et cela lui donnait le courage de poursuivre et ainsi, de mettre son plan à exécution. Le rêve de se libérer de cet homme allait enfin se réaliser. Jamais elle ne pourrait être condamnée, pensa-t-elle, puisqu'elle avait des témoins qui prouveraient qu'elle agissait en légitime défense.

Carl s'approcha lentement derrière la femme et déposa, à ses risques et périls, ses mains sur les épaules de Jasmine.

- C'est fini, Jasmine ; laissez ce couteau, chuchota Carl d'une voix qui se voulait calme et sereine.

Cette voix, qu'elle connaissait depuis peu, la tira de son rêve illusoire. Elle ne voulait pas l'écouter, car Jasmine savait que si elle laissait tomber son arme, c'était le recommencement de son cauchemar.

- Cet homme ne mérite pas que vous soyez punie pour homicide. Pensez à votre enfant, Jasmine. Cette petite aura besoin de vous.

À ces mots, elle laissa tomber le couteau et appuya son corps meurtri sur l'homme derrière elle.

- Venez, dirent les policiers à Richard, on vous amène au poste. Cette fois, aucune caution ne vous fera sortir de là avant le procès.

Tu vas me le payer, Jasmine, tu es une traînée, une salope...

Les policiers durent redoubler d'efforts afin de sortir l'homme de la maison. Il continua à injurier et à blasphémer jusqu'à la voiture de police.

Chapitre 5

Tout redevint calme, Carl et Jasmine n'avaient pas bougé de leur position antérieure. Elle se retourna, blanche et cernée, incapable de verser une larme, et déposa sa tête sur l'épaule de son médecin.
Carl la serra dans ses bras pour lui donner un peu de réconfort et se demandait au fond de lui-même si cela pouvait ressembler à l'enfer... Aucun être humain ne pouvait en endurer davantage.
- Venez, lui glissa-t-il à l'oreille.
Il la conduisit vers sa chambre.
- Reposez-vous, vous êtes épuisée et avez besoin de sommeil.
- Ne partez pas, le supplia-t-elle.

- Non, je reste, s'entendit-il dire simplement.
Elle ferma les yeux et sombra rapidement dans le néant où aucune misère, aucune angoisse ne venait perturber son rêve.
Carl repéra une chaise à la Cléopâtre dans le coin de la pièce et s'y cala avec satisfaction. Il parcourut des yeux la chambre : des meubles anciens, tout en bois, aux vernis harmonieux faisaient éclater la blancheur immaculée des cotons et dentelles. Ici et là, quelques objets d'art, choisis avec minutie, rappelaient la chaleur des pays du sud et ajoutaient une simplicité à ce décor digne d'une grande princesse. Il soupira de dépit… que vaut la vie quand on est entouré de luxe, mais que l'amour n'y règne pas !

Il ferma les yeux et vit apparaître devant lui l'image de la jeune femme nue, sortant du bain et s'accrochant à lui désespérément. Pourquoi cette jeune femme l'attirait-elle à ce point ? Elle était jolie, mais sans plus. Et son rôle de médecin l'obligeait à observer certaines règles dans ses relations avec ses clients.
« Cela passera mon vieux », pensa-t-il tout haut.
Il laissa courir son imagination et s'endormit avec un calme surprenant.

Un cri effroyable le sortit de son sommeil. Le temps de réaliser exactement dans quel endroit il se trouvait, il aperçut la jeune femme assise dans son lit, le visage ravagé par les pleurs. Carl se précipita vers elle :

- Jasmine... Jasmine, dit-il en la secouant légèrement.

- Ne me touche pas, tu me dégoûtes et tu me fais mal. Non... pas comme cela.

Carl remarqua ses gestes de défense ; la femme semblait se tordre de douleur, pourtant, il la touchait à peine.

- Jasmine ! cria-t-il, cette fois.

Elle se réveilla tout à fait.

- Carl, venez-moi en aide, je vais devenir folle, supplia la femme qui avait peine à reprendre son souffle. Je suis envahie de cauchemars, je n'arrive jamais à fermer l'œil une nuit complète.

- Chut !

Il vint la rejoindre sur le bord du lit et la tranquillisa à nouveau.

- Merci, Carl, d'être près de moi, confessa la femme reconnaissante, mais un peu confuse après ce qui venait de se passer.

- Ce n'est rien, endormez-vous, je reste là.

- Tenez-moi la main, vous voulez bien ?

Pardieu, se dit-il, je dépasse les limites de mon travail, mais il se laissa convaincre. Il alla chercher un oreiller, le plaça à côté de celui de la jeune femme, laissant Jasmine s'appuyer sur son épaule et s'endormir presque aussitôt.
Carl sentait l'haleine chaude de la femme dans son cou ainsi que son cœur qui reprenait un rythme normal.
« Je suis devenu fou, songea l'homme… coucher dans le même lit que ma patiente ! » Mais de nouveau, la fatigue l'emporta sur les questions sans réponses.

L'homme fut le premier à ouvrir les yeux. Jasmine reposait toujours sur son épaule, la main appuyée sur son ventre plat.
Il consulta sa montre : huit heures quinze. Il avait rendez-vous au bureau à dix heures.
- Jasmine… murmura-t-il à son oreille.
La femme ouvrit les yeux lentement. Elle semblait calme et paisible, ce qui ne lui était pas arrivé depuis très longtemps.
- Hum ! réussit-elle à dire.
- Il faut que j'aille au bureau, j'ai des rendez-vous ce matin.
- Docteur Anctil…

- Carl, reprit-il aussitôt.
- Carl, êtes-vous toujours aussi attentionné avec vos patients ?
- Non. Il ne faudrait pas que cela se sache non plus, car je perdrais ma licence immédiatement.
Elle resserra son étreinte un peu plus et entoura de ses mains la taille de l'homme qui venait de se crisper légèrement.
- Carl, prononça-t-elle sur un ton sérieux, c'est moi qui vous paie, alors j'aimerais avoir quelques minutes de plus pour savourer ce bien-être que je risquais d'oublier rapidement...
- D'accord, cinq minutes, pas plus, dit-il en souriant.
- Je ne vous ai même pas demandé encore vos honoraires , dit Jasmine un peu inquiète.
- C'est mieux ainsi, répliqua l'homme en rigolant, car vous m'auriez fichu à la porte depuis longtemps.
Jasmine n'écoutait pas ce que Carl lui disait ; elle préférait goûter le confort, le plaisir de ce petit instant de bonheur qui s'offrait à elle. Les lèvres de Carl étaient très près de ses cheveux ; cette sensation était délicate et douce.
- Jasmine, fit Carl, un peu à regret, les cinq minutes sont écoulées.
Elle s'arracha à son délice et retourna vers son oreiller qui, maintenant, lui semblait beaucoup moins

confortable.
- Je peux aller prendre une douche, questionna-t-il ?
- Oui, vous savez où est la salle de bain…
Il se massait généreusement et s'étonnait encore du luxe de cette maison. Il se sécha avec hâte, enfila ses vêtements de la veille et alla vers la cuisine brancher la bouilloire. Sur la pointe des pieds, il entra dans la chambre et se retrouva face à face avec la femme qui était nue devant sa commode. Elle se retourna, il croyait qu'elle allait crier, mais aucun son ne semblait sortir de sa bouche. Tous les deux semblaient sidérés.
Carl n'avait pas détaché les yeux de ce corps si parfait qui avait pourtant donné naissance à un enfant. Il la détaillait de la tête aux pieds, sans qu'elle ne fasse un mouvement. D'un coup, il se reprit et baissa la tête, honteux.
- Pardonnez-moi, Jasmine, dit-il, confus. J'aurais dû frapper.
La femme s'était approchée de lui sans se couvrir.
- Jasmine… lança-t-il en essayant de détourner son regard.
- Carl, dit-elle à mi-voix en se rapprochant encore plus.
- Non, Jasmine, il ne faut pas, ajouta-t-il avant de perdre contrôle. Je n'ai pas le droit, je veux vous

garder comme patiente. Ne me touchez pas, je vous en prie.

Elle se leva sur la pointe des pieds et embrassa le front de l'homme qui était encore mouillé. Jasmine voulait se faire reconnaissante envers la gentillesse de Carl, elle avait besoin de cette présence dans sa maison.

Cet homme lui donnait le courage et la force de poursuivre la démarche qu'elle avait entreprise, sans comprendre encore comment elle avait pu en arriver là. Elle lui donna un baiser délicat, mais Carl le trouva, lui, très sensuel.

Elle retourna près de sa commode et enfila quelques vêtements avec lenteur. Carl n'avait pas bougé de l'endroit où il se trouvait.

- Merci, Carl, pour tout ce que vous faites pour moi, avoua la femme dont les paroles étaient lancées avec un calme surprenant.

Ils se rendirent à la cuisine et Jasmine lui demanda si elle avait un rendez-vous dans la journée.

- Oui, je crois, à dix-neuf heures, dit-il, peu certain de sa réponse.

- D'accord, alors venez, je vous reconduis à votre cabinet.

Il suivit la jeune femme comme son ombre. Le trajet se fit sans conversation. Lorsqu'elle arriva dans l'entrée du bureau, elle le remercia de nouveau en lui disant « à ce soir », et le quitta prestement.

Carl avait de l'avance sur son rendez-vous. Il n'arrivait pas à se concentrer sur son prochain client tellement la femme hantait ses pensées. Il décrocha le combiné rapidement et appela un confrère.

- Jean…
- Carl, mon vieux, comment vas-tu ?
- Mal, confessa l'homme en toute franchise. Tu es libre pour dîner ?
- Attends, je regarde mon horaire… disons, vers onze heures, cela te va ?
- C'est parfait pour moi, à tout à l'heure, Jean.
- Tu m'inquiètes Carl, tu es malade ?
- Non, j'ai seulement besoin d'un psychiatre.
- Tu es sérieux ? questionna celui-ci, consterné.
- Non, pas tout à fait, mais j'ai besoin de tes conseils.
- Tant mieux, tu me rassures. Alors, à plus tard.

Il demanda à sa secrétaire de faire entrer son prochain patient et l'informa de repousser son rendez-vous de onze heures.

Il trouva son avant-midi interminable. Quand son client le quitta, il se reprocha de ne pas avoir fait son travail aussi objectivement. Il se dirigea à

grands pas vers son rendez-vous avec Jean.
En le voyant arriver, le confrère se leva et vint à sa rencontre en lui serrant la main avec chaleur.
- Je ne te demande pas comment tu vas… à voir ta mine défaite, j'ai ma réponse.
- Tu peux le dire, je suis vraiment dans une impasse. Tu sais, Jean, je te fais entièrement confiance. Tu es plus qu'un confrère pour moi et je te demande de garder secret tout ce que je vais te dire aujourd'hui.
- Vas-y, je t'écoute… tu m'intrigues terriblement.
- J'ai un cas de femme battue par son conjoint et…
- En quoi cela est-il différent des autres causes ? répliqua Jean en lui coupant la parole.
- Attends, laisse-moi finir. Je suis allé un peu trop loin, je crois.
- Quoi ? Tu n'as pas couché avec elle… dit le confrère dont les yeux s'écarquillèrent .
- Non, c'est à dire … nous n'avons pas fait l'amour, si c'est ce que tu veux savoir.
- Alors…
Carl raconta l'épisode de la chambre à coucher et de la femme nue devant lui.
- Eh bien ! tu sais, Carl, que si quelqu'un apprenait cela, tu pourrais perdre ta licence.
- Oui, je sais cela, reconnut un Carl, frustré par les paroles de son confrère. Je ne suis pas venu ici pour

que tu me juges, mais bien pour que tu me viennes en aide.

- Est-ce que tu aimes cette femme ?

Carl resta un moment sans dire un mot.

- À vrai dire, je ne le sais pas, mais chaque fois que je la vois, je perds le contrôle, tu comprends...

- Tu es amoureux...

- Quoi, que me dis-tu là ?

- Je te dis que tu es amoureux de cette femme.

- Et qu'est-ce qui te faire dire cela ?

- C'était comme cela quand j'ai rencontré ma femme. J'en avais même des douleurs au ventre... tu imagines ? Moi, Jean le don juan...

- C'est exactement ce que je ressens, avoua Carl, sifflant de colère. Mais qu'est-ce qui m'arrive ? Je ne peux pas tomber en amour avec ma patiente. Je crois que j'ai besoin de sortir un peu de mon bureau et aller regarder ailleurs.

- Seulement quelque chose de normal, précisa Jean. Pour un homme de trente-six ans, tomber en amour est tout à fait naturel, mon vieux.

- Oui, mais il y a juste un hic : c'est ma patiente.

- Tu voudrais que je prenne ta cliente ? lança Jean pour venir en aide à son confrère.

- Tu me déchires, Jean, lorsque tu me demandes cela. Je pense tout de même que c'est la seule

solution, n'est-ce pas ?
- Si tu en connais une autre, je suis bien ouvert.
- Je la vois ce soir. Je lui en parle et je te rappelle demain, si tu veux.
- J'attends ton appel, dit l'homme simplement. Dis-moi, est-elle belle ?
Carl prit quelques instants pour se remémorer le visage de la jeune femme.
- Elle est simple, mais belle.
- Elle a des enfants ?
- Oui, une petite fille de deux ou trois ans, je crois.
- Tu te vois, père de famille ? sourit le confrère.
- Pourquoi pas, répliqua Carl rapidement, comme pour se prouver sa capacité à prendre soin d'une famille.
- Eh bien ! fit Jean, surpris par la défensive de son ami. Je crois que tu devrais prendre rendez-vous pour une consultation. Toi qui était célibataire jusqu'à ce jour, voilà que tu foncerais tête première dans une histoire sans lendemain... Tu es vraiment mordu, mon vieux.
- Jean, je sais que tu as raison, je ne me reconnais plus moi-même, mais si tu la voyais... elle est si malheureuse, si douce. On sent qu'elle a besoin d'amour et d'attention, de quelqu'un sur qui elle peut compter. C'est un petit bout de femme super fragile.

- Nos clients sont tous du même genre, tu sais. Moi, je n'y vois pas d'exceptions ; ils ont tous besoin de cette attention particulière. Tu crois être capable de lui donner tout ça ? s'inquiéta Jean, surpris par les propos de son ami.
- Bien sûr que j'en suis capable, répondit Carl, convaincu.
- C'est bien ce que je croyais : tu es amoureux fou de cette jeune femme, et il faudra que cela se passe rapidement.
Jean interpella la serveuse, paya l'addition et suivit Carl à l'extérieur du restaurant.
- Sois prudent quand même, ajouta l'homme en lui serrant la main, ta carrière est en jeu.
- Oui, merci Jean de ta confiance et surtout, de ton amitié.

Carl retourna à son travail, soulagé d'avoir partagé son secret à quelqu'un. Il savait maintenant qu'il ferait face à la situation et que Jasmine accepterait de se faire soigner par son confrère.
En début de soirée, lorsqu'il vit la porte de son bureau s'ouvrir, il eut de la difficulté à reconnaître la jeune femme. Elle avait une mine défaite. Son frère Jacob l'accompagnait.
- Carl…
Jacob s'approchait en lui tendant la main.

- Bonjour, ça ne va pas ? interrogea le médecin.
- Non. Jasmine a su aujourd'hui qu'elle devait témoigner des traitements que lui infligeait son truand de mari et ce, devant la cour. Elle pense qu'elle ne peut en aucun cas raconter cela à personne ; elle a trop honte.
Carl se passa la main dans les cheveux en signe de préoccupation.
- Laisse-la-moi, si tu veux bien, je la ramènerai en fin de soirée.
- Ne lui en demande pas trop, Carl, risqua le frère inquiet de l'état lamentable de sa sœur. Elle est très fragile ces temps-ci.
- Ne t'inquiète pas, je sortirai ta sœur de là, je te le promets.
Il sentit que cette déclaration venait du plus profond de son cœur.
Carl regarda un long moment la jeune femme avant de prendre la parole. Il se demandait si Jacob n'avait pas eu raison. Elle semblait être dans un état de trouble total. Pour la première fois de sa vie, il se demandait par où commencer. Comment faire pour attaquer de front des questions qui déchireraient encore plus cette femme merveilleuse et vulnérable à la fois.
- Jasmine…

Elle leva les yeux vers lui, apeurée par ce qui allait suivre.
- Vous voulez que l'on parle ce soir, ou bien vous préférez revenir une autre fois ?
Elle gardait les yeux rivés sur lui sans prononcer une parole. Puis, elle se leva et vint s'asseoir directement sur Carl qui avait pris place dans le fauteuil derrière son bureau.
- Ne les laissez pas me traîner dans la boue, supplia la femme en pleurs.
Carl avait de la difficulté à penser : il se sentait inquiet. Si quelqu'un entrait dans son bureau sans prévenir…
- Jasmine - il la repoussa et se leva, encore sous le coup de l'émotion - qu'est-ce que vous ne voulez pas dévoiler devant le jury ?
- La manière dont Richard me traitait.
- Vous ne seriez pas la première à divulguer des faits semblables, Jasmine.
Elle se leva et arpenta la pièce avec rage.
- Oui, je sais, mais mon avocate voudrait que je lui parle de… elle s'arrêta, au comble de l'hystérie.
- De relations sexuelles ? avança Carl pour aider la jeune femme à se libérer de ce fantôme répugnant.
Elle approuva, déchirée par les paroles du médecin.
Carl s'approcha d'elle et la guida vers un fauteuil

installé dans la pièce.
- Est-ce si affreux que cela, Jasmine ? insista Carl.
- C'est épouvantable, tonna la femme, à bout d'arguments. Vous ne pouvez pas imaginer tout ce que j'ai pu subir. Je mourrais de honte d'avoir à dire cela devant une foule de personnes.
- Vous voulez m'en parler, à moi ? proposa Carl, étant certain du refus.
- Si je vous raconte tout cela, je vais vous dégoûter Carl, je ne veux pas cela, car vous êtes mon seul ami et j'ai besoin de vous pour m'en sortir.
- Non, Jasmine, vous vous trompez, je ne suis pas là pour vous juger, mais bien pour vous venir en aide.
Les larmes coulaient de chaque côté du visage de la femme en détresse. Carl n'avait d'autre issu que de la laisser se débattre avec ce passé atroce. Les mains de Jasmine se tortillaient l'une contre l'autre dans un mouvement de nervosité. Le médecin posa ses mains moites sur celles de la femme pour la calmer un peu.
- Je comprends, Jasmine, que ce soit difficile de vous confier ainsi. Je sais aussi que vous aurez à revivre ces instants douloureux que vous essayez d'oublier, mais c'est par cette « thérapie » que vous allez pouvoir vous en sortir. Vous devez vous libérer de ce monstre qui est caché au fond de votre âme. Vous

n'avez plus besoin de garder cela pour vous. Le seul fait de relâcher vos angoisses est déjà un pas vers la guérison. Alors, en toute simplicité ; racontez-moi votre peine.

Chapitre 6

La jeune femme avait écouté attentivement le spécialiste. Elle savait que partager son secret deviendrait moins lourd à supporter. Alors, avec une très grande confiance, elle raconta les événements macabres de sa terrible existence.

- Il voulait que l'on fasse l'amour à trois, cria-t-elle avec dédain, avec son patron ! Il attendait que je dorme, là, il m'attachait dans le lit. Et lorsque je me réveillais, il me forçait à mettre dans ma bouche le sexe de son employeur.

Elle hoquetait de rage et de fureur.

- Il me forçait à tout avaler ! hurla-t-elle avec dégoût.
- C'est assez ! cria le médecin, hors de lui.

- Non, reprit Jasmine, enfin soulagée et capable de se libérer de ce qui la hantait depuis si longtemps. Vous voulez que je racontes, alors, vous serez servi ! cria Jasmine dans un état de rage. Ils me pénétraient tous les deux en même temps, tonna encore la femme névrosée. J'avais tellement mal, je suffoquais sous la douleur. Souvent, ma fille Marie-Soleil, se réveillait, ils la laissaient pleurer et continuaient à meurtrir mon corps.

Carl avait peine à croire qu'un être humain puisse être infâme à ce point. La douleur qu'avait ressentie Jasmine était à un point tel, qu'on pouvait voir dans son visage déformé, la sincérité de ses dires. Carl l'écoutait toujours se débattre avec son agonie passée.

- Une fois son patron parti, il me détachait, me tirait par les cheveux et m'injuriait. Il me forçait à reprendre dans ma bouche son membre souillé par la pénétration. Il me traitait de garce et de nymphomane... comme si j'acceptais de plein gré de participer à ces orgies !

Elle n'eut pas le temps, cette fois, de se rendre au cabinet et régurgita sur le plancher du bureau.

Carl était bouleversé par les confidences de la femme. Il aida Jasmine à s'étendre, nettoya les

dégâts et lui apporta quelque chose à boire.
- J'étais tellement épuisée, reprit-elle comme si rien ne s'était passé, que je me traînais en rampant vers la salle de bain. Je restais des heures à tremper dans l'eau savonneuse espérant que cette souillure de mon corps et de mon âme disparaisse.
- Arrêtez, Jasmine, coupa le médecin.
- Il me forçait à servir le souper, nue, avec un tablier attaché à la taille. Il me faisait tellement mal lorsque je refusais, que je faisais tout ce qu'il voulait, vous comprenez, Docteur ? J'avais peur, j'avais si peur qu'il me tue. Je ne voulais pas mourir ; je pensais tellement à mon enfant et à ce qu'elle deviendrait si je n'étais pas là. Un soir, il est entré en état d'ébriété, il m'a couchée sur la table de la cuisine, car je refusais de faire l'amour avec lui. Alors, il...
Elle arrêta un moment, ravalant le dégoût que cela lui donnait.
- Arrêtez, Jasmine, cela suffit pour ce soir, dit le médecin abasourdi par l'affluence et la rapidité des paroles de cette femme et ce, en si peu de temps.
Mais rien ne pouvait arrêter Jasmine, car elle semblait perdue dans son passé.
- Il enfonçait tout ce qu'il trouvait à la portée de la main. Je criais, je hurlais tellement, j'avais mal... et lui, fantasmait devant ma souffrance.

- Cela suffit ! avait crié cette fois Carl.

Cette fois, elle obtempéra.

- Mon dieu, Jasmine, pourquoi avoir enduré si longtemps des atrocités pareilles ?

- J'avais peur, Carl, vous ne comprenez donc pas ? J'avais atrocement peur et j'ai toujours cette peur en moi et elle ne me quitte jamais. Vous, les spécialistes, vous ne pouvez pas comprendre le mal que l'on ressent, la crainte d'être retrouvée morte au bout de son sang. Vous ne pouvez certainement pas comprendre puisque jamais vous n'avez vécu pareils déboires.

- Vous n'avez jamais eu de maladies ? questionna le spécialiste en détournant légèrement la conversation.

- Oui, j'ai dû me rendre à l'urgence à trois reprises. Vous pouvez vous imaginer la honte que j'ai ressentie ? On me posait des tonnes de questions et je n'avais même pas le droit de dire la vérité, car j'étais toujours traquée par Richard.

- Mais, justement, que racontiez-vous au médecin de garde ?

- Moi, rien du tout. Richard venait toujours avec moi. Il disait au médecin que sa femme et lui avaient des fantasmes « surnaturels », et que, cette fois, ils étaient allés un peu loin. Il disait que de jeunes

couples comme nous pouvaient se permettre bien des fantaisies.
- Dites-moi, Jasmine, depuis combien de temps n'avez-vous pas eu de relations sexuelles avec votre mari ?
- Depuis deux mois. La dernière fois, j'avais eu tellement mal que le médecin a dit : « aucune relation avant deux mois ». J'ai dû être alitée pendant deux longues semaines parce que j'avais de la difficulté à me déplacer. J'ai dû aussi avoir recours à une infirmière deux fois par semaine. Richard et son « supposé » patron avaient essayé de me pénétrer tous les deux en même temps, au même endroit.
Elle porta la main à sa bouche pour étouffer un cri comme si la douleur était encore présente à l'esprit.
- La plaie saignait tellement, je sentais ma peau déchirer lors de la pénétration. Je hurlais de douleur et eux, riaient si fort qu'ils étouffaient mes cris. Ils se foutaient complètement de mes hurlements ; je dirais même que ça les encourageait. J'essayais de ne pas crier, mais le mal était si intense...
- Jasmine - Carl avait parlé doucement cette fois - je ne veux plus rien entendre ce soir. Vous me promettez ?
Elle le regarda dans les yeux un long moment avant de reprendre la parole.

- Vous croyez que je suis une putain ?
- Non !
Carl avait gueulé si fort que la jeune femme sursauta.
- Jamais je ne penserai cela, confirma-t-il. Vous êtes une pauvre victime qui aviez peur et avec raison. Mais dorénavant, il ne faut plus jamais que vous soyez soumise envers qui que ce soit. Faites-vous une carapace. Une force intérieure est en vous ; servez-vous-en, Jasmine, pour ne plus être atteinte par les autres qui vous veulent du mal.
- Vous ne comprenez pas : j'avais peur et je ne pourrai jamais me libérer de cette peur. Ma vulnérabilité se lit sur mon visage, alors tout le monde s'attaque à moi facilement.
- Je sais, Jasmine, que je ne pourrai jamais vivre votre douleur, mais je veux vous aider à vous en sortir.
Oui, ajouta-t-il pour lui-même, je le peux et je le veux.
Il s'approcha d'elle et entoura de ses bras son petit corps frêle. Carl caressait ses cheveux pour calmer, effacer, adoucir ces paroles atroces qu'elle venait de lui confier.
- Je ne pourrai plus jamais avoir une vie « normale », dit la femme, au désespoir.
- Oui, vous le pourrez, Jasmine. Il y aura toujours

quelqu'un sur votre route avec qui vous pourrez refaire votre vie ; il faut laisser agir le temps...qui guérit...

- Non, je devrai tout lui raconter ; jamais il ne voudra faire l'amour avec moi.

- Jasmine, vous n'êtes pas obligée de tout raconter, s'il vous aime, il acceptera.

- Carl, ne les laissez pas salir ma réputation devant les tribunaux, je vous en prie, ne laissez personne me pointer du doigt lorsque je serai sur leur route, implora la femme en larmes de nouveau. Et surtout, docteur, je ne veux pas raconter tout cela devant mon frère.

- Qui est votre avocat ?

- Maître Robillard.

- Elle travaille avec Jacob, je crois, s'informa le médecin qui côtoyait souvent des avocats. J'irai lui parler demain, si vous voulez.

- Vous allez tout lui dire ? s'enquit la femme dont la voix trahissait les émotions.

- Cela vous dérangerait que je le fasse à votre place, Jasmine ?

- Non, mais vous n'êtes pas obligé de tout lui dire.

- Laissez-moi cela entre les mains ; vous avez bien d'autres préoccupations pour le moment, et vous êtes cette première préoccupation. Venez vous étendre

un peu sur le canapé ; je remplis un dossier, ensuite, nous pourrons quitter.
Elle se leva sur la pointe des pieds et regarda ses lèvres avec insistance.
- Non, Jasmine, intervint le médecin, voyant venir sa cliente. Ne faites pas cela.
Sans porter attention à ce qu'il lui disait, la femme promena ses lèvres sur le visage du médecin visiblement troublé. Il ne savait plus s'il devait répondre ou bien refuser ses avances. Quand elle l'amena insidieusement à entrouvrir la bouche, il sentit sa langue sur ses dents.
Aussi rapidement qu'elle avait commencé, elle s'arracha à lui avec un regard malicieux.
- Pardonnez-moi, Carl, j'abuse de votre bonté.
Carl remarqua aussitôt qu'elle retombait dans le néant, qu'elle se servait de lui pour se prouver quelque chose qu'il n'arrivait pas encore à définir. Alors, il la laissa continuer son engouement, quitte à en souffrir lui-même. Il devait laisser la femme aller au bout de son aventure imaginaire.
- Je manque tellement d'amour, d'affection, de tendresse en ce moment. Mais peut-être ne suis-je pour vous qu'une petite garce qui cherche à séduire un homme qui lui démontre un tant soit peu d'affection ?

Il la voyait entrer dans un jeu très dangereux. Carl, à ses risques, continua quand même à jouer avec elle.
- Je vous ai déjà dit que je ne jugeais personne, Jasmine. Si j'ai accepté votre baiser, c'est que je savais que vous en aviez besoin.
« Menteur », souffla une voix dans sa tête.
Il retourna derrière son bureau afin de chasser cette pensée et de reprendre son sang froid.
- Jasmine, j'aimerais que vous rencontriez un de mes confrères.
- Pourquoi, demanda-t-elle, inquiète. Vous ne voulez plus me soigner ?
- Je n'ai rien dit de tel, j'aimerais seulement que vous alliez le voir. Il est un bon spécialiste et j'ai besoin de savoir ce qu'il pense de votre cas et ensuite nous pourrons lier nos efforts pour vous venir en aide.
- Et je serai obligée de tout lui raconter, à lui aussi ? questionna la femme sur la défensive.
- Non, seulement ce que vous voudrez bien lui dire.
- Carl, je suis à l'aise avec vous. Je ne veux pas un autre médecin. Si vous ne voulez plus me soigner, c'est toutefois votre droit.
- Je n'ai pas dit cela, Jasmine. Bon, on reparlera de tout cela une autre fois. Je vais vous reconduire chez

vous.

- Non, je rentre chez Jacob ce soir, il ne veut pas que je reste seule à la maison.

- Bonne initiative de sa part, constata le spécialiste, satisfait de la réponse de la femme.

Chapitre 7

Dans la voiture, Carl réfléchissait à la proposition qu'il avait faite à Jasmine. Il fallait que Jean la rencontre à tout prix, au moins une fois pour qu'il sache si elle s'accrocherait à lui aussi.
- Jasmine, réfléchissez à ma demande d'aller voir mon confrère, d'accord ?
- J'accepte Carl. Prenez-moi un rendez-vous et j'irai, dit la femme, épuisée par toutes ces questions.
Il blasphéma tout bas en voyant encore la soumission de sa patiente. Il faudra que je lui montre à tenir tête, sinon, son avenir est perdu.
Devant la maison de Jacob, Carl lui tint la main quelques secondes.

- Je vous contacterai, Jasmine.
Elle tourna son regard vers lui et il aperçut ses yeux embués de larmes.
- Je ne vous reverrez plus, Carl, c'est bien cela ?
- Non, insista le spécialiste, c'est moi votre médecin traitant et vous me verrez encore.
- Oh Carl ! dit-elle en s'appuyant sur lui. J'ai tellement besoin de votre chaleur humaine.
- Je serai toujours votre ami, réussit-il à lui avouer.
Il la repoussa légèrement, descendit de la voiture et aida Jasmine à quitter le véhicule. Lorsque Jacob ouvrit la porte de sa demeure, il prit Jasmine dans ses bras et la serra avec douceur.
- Ça va aller, Jacob. Les durs moments sont passés, je crois, fit Carl, heureux de voir que Jasmine pouvait compter sur quelqu'un comme son frère.
- Tu entres prendre un café avec nous ? proposa Jacob.
Il accepta.
Suzie, la femme de Jacob, vint à son tour prendre dans ses bras la jeune femme en détresse. Elles se dirigèrent vers la chambre à coucher.
- Je la trouve moins bien que lorsque je te l'ai amenée, dit Jacob, découragé par le manque de vitalité de sa sœur.
- Jacob, murmura discrètement le médecin, tu es au

courant de tous les sévices que ta sœur a dû endurer ces dernières années ?
- Non, je sais qu'il la frappait, mais Jasmine refusait de parler. Tu peux me le dire, toi ?
- Non, et tu en connais la raison. Si ta sœur veut le faire, elle t'en parlera elle-même. J'ai demandé à Jasmine de rencontrer un de mes confrères.
- Pourquoi ? dit Jacob, surpris par ces paroles.
- On peut aller dans ton bureau ? demanda le médecin à l'homme en face de lui.
Jacob le conduisit dans son bureau où il pouvait discuter en toute quiétude.
- Tu m'inquiètes Carl. Que se passe-t-il ? Jasmine n'a pas l'argent nécessaire pour payer tes honoraires ?
- Pas du tout, il n'en a même jamais été question. Jasmine a subi de telles atrocités, autant physiques que morales, qu'elle s'accroche à la première personne qui lui donne un peu d'attention.
- Tu veux dire que ma sœur a essayé de te faire des avances ? dit le frère, sidéré.
- Non Jacob, c'est moi qui suis en train de flancher, tu comprends ? Autrement dit, ta sœur ne me laisse pas indifférent.
- Quoi ? Mais cela est merveilleux ! cria Jacob au comble de la joie.

- Ne dis pas cela Jasmine a besoin d'aide. Elle se lance sur le premier venu. Elle a besoin de tendresse, d'affection, de compréhension. Moi, je suis son médecin et elle ne vit que pour moi en ce moment.
- Elle te l'a dit ? demanda un Jacob déconcerté.
- Disons qu'elle me l'a fait comprendre clairement. C'est pourquoi je lui ai demandé de consulter un autre psychologue.
- Et est-ce que tu la reverras encore ? questionna le frère.
- Oui, murmura-t-il.
- Carl, Jasmine a besoin de quelqu'un comme toi. Donne-lui une chance, quémanda son frère.
- Merde, Jacob, jura le médecin, je n'ai pas le droit d'avoir des relations autres que professionnelles avec mes clients ! Tu dois bien le savoir, toi !
Jacob approuva d'un signe de tête.
- Bon, laissons aller les choses et on verra bien, finalisa l'avocat.
- Une dernière chose : tu connais bien son avocate, toi ? Il faudrait que tu me donnes ses coordonnées pour que je puisse la rencontrer avant le procès.
Jacob griffonna l'adresse de l'avocate, ils quittèrent le bureau et retrouvèrent les deux femmes qui discutaient au salon.
Lorsque Carl aperçut la petite dans les bras de sa

mère, il lui tendit les mains tendrement.
- Bonjour, petit bout de chou.
Elle s'accrocha à son cou comme sa mère l'avait fait quelque temps avant.
- Tiens, Carl, dit Jacob en souriant. Prends la berçante pour que je vois cela de plus près : un célibataire bercer un enfant. Je ne t'ai pas vu souvent avec un enfant dans les bras.
- Non, tu peux bien le dire. Ma sœur n'est pas pressé de me faire des neveux, dit l'homme, légèrement embarrassé.
L'enfant docile s'endormit paisiblement sur l'épaule de Carl. Il sentait son petit cœur battre doucement contre sa poitrine.
Il se surprit à penser qu'il n'aurait jamais la joie d'être père à son tour, car il avait privilégié le travail à la vie de famille. Il embrassa la petite sur le front et la remit à Suzie qui alla la coucher dans sa chambre.
- Tu viendras souper avec nous un de ces soirs, Carl, proposa Jacob sur le seuil de la porte.
Jasmine vint rejoindre l'homme en le remerciant de l'avoir ramenée chez son frère et en lui rappelant quelle importance il avait pour elle.

Carl, au volant de sa voiture, repensait aux

déclarations de la jeune femme. Comment son frère réagirait-il en apprenant tous les déboires qu'avait subis sa sœur ? Il se devait de mettre Jacob au courant. Il stationna sa voiture dans le garage et entra chez lui prendre quelques heures de repos avant de commencer une nouvelle journée. Sous la douche, il songea de nouveau à sa patiente. Il se devait de la tenir un peu éloignée de lui. Jasmine avait besoin qu'on s'occupe d'elle, qu'on lui montre à quel point elle était encore belle et excitante, mais pas au risque de sa carrière. Il devait se raisonner et faire comprendre tout cela à cette femme dans le besoin.

Il entoura sa taille d'une serviette lorsqu'il entendit la sonnerie du téléphone.

- Carl, c'est Jacob.
- Que se passe-t-il, dit l'homme, surpris.
- Jasmine est convoquée en cour demain.
- Si tôt ? interrogea le médecin.
- Oui, maître Robillard vient de m'en aviser et je tenais à ce que tu sois au courant.
- Merci Jacob. Au besoin, tu me fais signe, d'accord ?

Il prit rapidement, dans la poche de sa chemise, les coordonnées que le frère de sa cliente lui avait remises concernant l' avocate.

- Maître Robillard, ici Carl Anctil, le psychologue

de Madame Dubois. Je regrette de vous déranger à une heure aussi tardive, mais j'aimerais vous rencontrer avant le procès. Est-il trop tard ce soir pour se voir ? interrogea l'homme.
- Non, je vous attends. De toute façon, il faut que je complète le dossier et peut-être m'aiderez-vous à trouver d'autres indices...
- Oh ! cela, j'en suis certain, ajouta Carl avec certitude.
L'avocate accueillit l'homme avec désintéressement.
- Excusez le désordre, dit-elle, mais je suis bousculée par le temps.
Carl pénétra dans la pièce et fut en effet très surpris du manque de propreté de la femme. Une masse de papiers traînaient à même le sol ; des tasses et des repas de la veille jonchaient le bureau. Il tassa légèrement une pile de dossiers et vint s'asseoir sur un coin de la table de travail.
- Comment se déroulera le procès ? demanda l'homme.
- À huis clos.
Il soupira de contentement.
- En tant que psychologue de votre cliente, pourrai-je y assister ?
- Oui... vous témoigneriez si je vous le demandais ? proposa l'avocate.

- Je ne suis pas contre, en cas extrême. Dites-moi, Madame Dubois vous a-t-elle raconté toute son histoire.
- Oui, et je crois qu'elle a été franche. Pourquoi cette question ?
- Vous a-t-elle parlé de ses relations intimes avec son conjoint ?
- Non, elle ne voulait pas en discuter.
- Alors, prenez des notes, car vous en aurez besoin.
Et Carl raconta à la femme les bassesses qu'avaient endurées sa patiente. Il lui avoua l'épisode de la table en omettant quelques détails répugnants.
- Jasmine sait que vous êtes venu me voir pour me raconter tout cela ?
- Oui, on en avait discuté ensemble. Devra-t-elle avouer tout cela devant le jury ? questionna à nouveau le médecin.
- J'ai bien peur que oui, Docteur. Si on veut gagner, il faut jouer toutes nos cartes.
- Vous pensez aux souffrances qu'elle devra revivre, à la honte…
Carl perçut dans les yeux de l'avocate une ombre de dureté.
- Docteur Anctil, dit-elle en élevant la voix, je suis là pour défendre Jasmine et je la défendrai par tous les moyens.

- En omettant le côté humain, bien sûr, rétorqua Carl. Que vaut la victoire si notre vie et notre réputation sont anéanties à jamais ? ajouta l'homme sur la défensive.
- Docteur Anctil, lança la femme hors d'elle, je ne suis pas là pour sauvegarder une réputation, mais bien pour gagner un procès. Et je le gagnerai, que cela vous plaise ou non.
- Vous êtes inhumaine, Maître, fit l'homme en se dirigeant vers la porte.
- Vous saurez, Monsieur Anctil, qu'il n'y a aucune place pour les sentiments dans mon travail.
- Il n'y en a sûrement jamais eu dans votre vie tout entière, dit l'homme en claquant la porte derrière lui.
Il sortit à l'extérieur et s'aperçut que le soleil commençait à se lever. Il s'engouffra dans sa voiture et se dirigea chez lui rapidement.
En entrant, il entendit la sonnerie du téléphone.
- Carl, c'est Jasmine. Je vous réveille ? dit la femme embarrassée.
- Non, aucunement.
- Je dois me présenter en cour aujourd'hui, fit une Jasmine anxieuse.
- Je sais, Jacob m'en a avisé hier soir.
- Vous avez beaucoup de clients ? s'aventura la

femme.

- Je serai avec vous, Jasmine, soyez sans crainte.

Il l'entendit pleurer.

- Soyez forte, il faut montrer à Richard que vous allez vous en sortir.

- Oui, merci, Carl, pour tout ce que vous faites pour moi, réitéra Jasmine se sentant de nouveau redevable envers quelqu'un.

Il déposa le combiné heureux d'apprendre que sa présence au procès était souhaitée et appréciée.

Chapitre 8

Carl aperçut Jacob en premier. Il se dirigea vers lui en lui serrant la main.
- Merci, mon vieux, d'être là. Elle espérait tellement t'avoir près d'elle aujourd'hui.
- Où est-elle ? questionna le médecin.
- Dans le bureau de Maître Robillard. Elle la met sûrement au courant des derniers développements.
- Dis-moi un peu, qu'est-ce que tu penses de cette avocate ? demanda Carl.
- Carole est une avocate extraordinaire ; c'est moi qui lui ai recommandée.
- Moi, je ne l'aime pas du tout, avoua l'homme avec franchise.

- Pourquoi ? interrogea Jacob, surpris par le ton qu'avait pris Carl.
- C'est une femme sans morale. Elle n'a aucun respect pour les sentiments des gens. Elle est avant tout un membre du barreau qui fait son travail.
- Voyons, tu m'étonnes de parler ainsi ; elle travaille très bien.
- De cela, j'en suis certain. Son premier objectif est de gagner peut importe le prix, peu importe la sensibilité ou la vulnérabilité de ses clients.
- Mais, Carl, on se doit d'être comme cela. Sinon, on perdrait tous nos procès.
- Tu m'en reparleras, Jacob, après avoir entendu la déposition de ta sœur dans quelques heures.
Il baissa la voix, car il venait d'apercevoir Jasmine et l'avocate sortir du bureau du procureur.
La jeune femme semblait amortie, anéantie. Elle s'élança dans les bras de son frère en pleurant.
Puis, elle vint prendre la main de son médecin.
- Merci d'être là, Carl.
Il ne répondit pas, car l'avocate guettait ses moindres faits et gestes. Ses yeux reflétaient une agressivité apparente envers le médecin soignant.
- Venez, Jasmine, fit celle-ci en lui prenant la main, c'est à notre tour et on va gagner, ne l'oubliez pas !
Jacob et Carl prirent place juste derrière les deux

femmes.
- Jacob, dit le médecin, tu dois savoir que ta sœur a vécu l'enfer, ces dernières années. Alors, reste calme durant son témoignage.
- Tu me fais peur, Carl, fit l'avocat, inquiet.
- Attends mon vieux. Tout à l'heure, ce n'est pas de la peur que tu vas ressentir, mais bien une immense douleur au fond de ton âme.
Carl sourit intérieurement en voyant que le juge était une femme. Il fallait mettre toutes les chances de son côté.
- Qu'on fasse entrer l'accusé, dit la juge.
Carl vit Jasmine se contracter. Il aurait aimé lui toucher la main ou l'épaule pour la rassurer, mais se ravisa.
Richard entra dans la pièce : menottes aux poignets et le regard menaçant. Jasmine n'avait même pas levé la tête.
- Qu'on amène l'accusé à la barre.
Il prêta serment en rigolant devant le jury.
Le truand rejetait toutes les fautes sur sa femme. Elle le trichait, à ce qu'il disait. Il alla même jusqu'à dire qu'elle le rendait fou psychologiquement.
- Madame la juge, lança un Richard arrogant, je veux que ma femme passe un examen psychiatrique.
- Maître Dufresne, faites taire l'accusé, qu'il ne

réponde qu'aux questions qu'on lui pose. Il n'est pas autorisé à m'adresser la parole, sauf si je le lui demande.
L'avocat s'approcha de son client et l'avisa de se calmer un peu.
Jasmine ne bronchait pas : elle restait clouée sur sa chaise, paralysée par les dires de son mari.
- Monsieur Dubois, est-ce que votre femme amenait d'autres hommes à la maison ? questionna son avocat.
- Bien sûr, très souvent, et je pourrais même vous dire qu'il était avec elle la dernière fois que je l'ai vue.
- Cet homme est-il dans la salle, Monsieur Dubois ?
- Oui, - il pointa Carl du doigt -, c'est lui, derrière ma femme.
Tous les regards se tournèrent vers Carl qui ne réagit aucunement aux dires de l'homme.
- Je n'ai plus de questions, Votre Honneur.
- Maître Robillard, c'est à vous.
- Monsieur Dubois, avez-vous obligé votre femme à cesser de travailler avant votre mariage ?
- Objection, Votre Honneur, dit l'avocat de l'accusé. Cette question est hors contexte et entrave le déroulement du procès.
- Votre Honneur, fit l'avocate, avec cette question,

je veux prouver que Monsieur Dubois a des antécédents violents, et j'ai besoin de remonter un peu dans le temps pour confirmer ces dires.
- Objection rejetée. Continuez, Maître Robillard.
- Répondez, Monsieur Dubois.
- Non, c'est elle qui voulait arrêter. Elle disait que j'étais assez riche pour la faire vivre convenablement. En effet, je dois vous dire qu'elle me coûtait très cher. Elle dépensait des sommes exorbitantes... sûrement pour aller voir ses amants, rajouta fortement le détenu.
Jasmine n'émettait pas un son, mais les larmes qui glissaient de chaque côté de son visage laissaient deviner la honte qui l'habitait.
- Monsieur Dubois, est-ce vrai que les policiers se sont rendus chez vous à deux reprises parce que vous aviez frappé votre femme ?
- Elle me rendait fou, elle se promenait nue dans la maison. Elle avait même son amant qui venait la voir en bateau régulièrement. C'est toujours cet homme-là.
Il indiqua encore Carl qui affrontait ses injures sans réaction.
- Quel salaud, dit Jacob, hors de lui.
- Chut ! tais-toi, fit Carl, qui ne voulait rien manquer de la déposition de ce goujat.

- Ce n'est pas une raison pour frapper votre femme, siffla l'avocate.
- Objection, Votre Honneur, Maître Robillard émet une opinion.
- Objection acceptée. Maître Robillard, tenez-vous-en aux faits.
- Monsieur Dubois, pourquoi frappiez-vous votre femme ?
- Il fallait bien que quelqu'un l'élève un peu, elle ne savait pas vivre !
Cette fois, Jasmine éclata en sanglots, anéantie par les paroles de son mari.
- Madame Dubois, vous aimeriez que l'on fasse une pause ? proposa la juge, voyant la jeune femme en larmes.
Jasmine fit un signe négatif.
- Poursuivons, fit la juge.
- Est-ce vrai, Monsieur Dubois, que chaque fois que vous battiez votre femme, vous étiez en état d'ébriété ?
- Objection, Votre Honneur ma consœur abuse de ses droits. Cette question est sans fondement.
- Cette question est-elle importante pour le procès ? questionna la juge.
- Oui, Madame la juge. Le jury a le droit de savoir que Monsieur Dubois est alcoolique et qu'il devrait se faire soigner.

- Objection, Votre Honneur, cria de nouveau Maître Dufresne. Mon témoin est là pour répondre aux questions et non pour recevoir des conseils de ma consœur.
- Objection refusée, coupa la juge. Répondez à la question, Monsieur Dubois.
- Je bois à l'occasion comme tous les hommes, répondit simplement l'homme. Mais souvent, j'avais l'air en boisson, car elle me faisait perdre la tête. Elle se servait de notre enfant pour me menacer, alors je me lançais dans l'alcool afin d'oublier sa cruauté. Ma femme ne voulait jamais que je sois seul avec mon enfant ; elle m'empêchait de la prendre pour lui prouver à quel point je l'aimais.
Jasmine était renversée ; jamais elle n'aurait cru Richard capable de mentir si ouvertement.
- Monsieur Dubois, avez-vous eu des relations sexuelles anormales avec votre femme ?
- Non, jamais, dit-il, l'air surpris.
- Je n'ai plus de questions, Votre Honneur.
- On demande Madame Jasmine Dubois à la barre.
- Non, un instant, Votre Honneur. Je peux citer un autre témoin avant Madame Dubois.
Maître Dufresne écarquilla les yeux, surpris de la demande de sa consoeur.
- Faites, Maître Robillard.

- Je demande à la barre le docteur Carl Anctil.
- Docteur Anctil, vous êtes le psychologue de Madame Dubois ?
- Oui, c'est exact.
- Et c'est aussi son amant ! cria Richard, hors de lui, en se levant.
- Maître Dufresne, si vous ne faites pas taire votre client, je vous inflige un outrage au tribunal.
- Docteur Anctil, êtes-vous l'amant de Madame Dubois ?
- Aucunement, Votre Honneur.
- Vous êtes-vous déjà rencontrés auparavant ?
- Oui, mon bateau a été en panne et c'est chez Madame Dubois que je suis allé téléphoner pour une remorque. C'était la première fois que je voyais Madame Dubois. Par la suite, je l'ai retrouvé la bouche ensanglantée sur le quai près de chez elle.
- Elle était blessée ? questionna l'avocate.
- Oui. Je voulais lui venir en aide, mais elle refusait. J'ai vu son mari arriver en état d'ébriété, et c'est bien à cause de moi que Monsieur Dubois est en prison, car j'ai dû frapper cet homme pour empêcher que cette pauvre femme ne reçoive à nouveau des coups.
- Il a battu sa femme devant vous ?
- Non, je l' ai empêché, mais il allait le faire.

- Merci Docteur. Je n'ai plus de questions, Votre Honneur.
- Maître Dufresne...
- Aucune question, dit l'avocat, l'air sidéré.
On demanda Jasmine à la barre.
Elle jura sur la bible et vint prendre place face à son mari.
- Madame Dubois, je veux que vous racontiez votre histoire du début à la fin, sans omettre quoi que ce soit.
Et Jasmine s'exécuta avec nervosité. Elle raconta les chicanes, les disputes, la petite qu'il n'aimait pas, la chaise qu'il lui avait lancée le jour où le docteur l'avait sauvée d'une raclée. Et les menaces de mort que Richard lui proférait si souvent.
Elle arrêta son discours un moment, car elle ne pouvait plus retenir ses larmes.
- Madame Dubois, je sais que ce que je vais vous demander est très difficile, mais le jury doit savoir.
- Non ! cria Jasmine, hors d'elle.
L'avocate s'approcha de la femme en pleurs et posa sa main sur le bord du lutrin.
- Madame Dubois, racontez-nous vos relations intimes avec votre mari.
Jasmine était secouée par les pleurs. Elle avait un mal fou à faire sortir de sa bouche quelque chose

d'audible.

- Madame Dubois, dit la juge, tout ce que vous direz restera confidentiel. Rien de ce qui se dira ici n'en sortira. Veuillez faire un effort, s'il vous plaît.

Jasmine raconta les choses simplement, sans trop élaborer. Elle voyait bien que son avocate voulait lui en faire dire plus, mais elle en était incapable. La peur, la honte, de l'humiliation et l'indignité la hantait tour à tour.

La juge dut, à deux reprises, faire taire Richard. Du banc des accusés il s'opposait aux dires de la femme blessée.

Jacob, assis près de Carl, s'effondra devant ces aveux. Carl voyait ses jointures devenir blanches sous la pression qu'il ressentait.

- Je vais le tuer, murmura le frère choqué.

Carl posa sa main sur la sienne afin d'apaiser sa colère et lui permettre de mieux se contrôler.

- Calme-toi, Jacob, tu as besoin de toute ta tête pour la suite.

- Il y a pire ? lança l'homme, un peu trop fort.

- On demande le silence dans la salle ou l'on fait évacuer ! lança la juge en frappant le bureau de son maillet.

- Madame Dubois, questionna la juge, aimeriez-vous faire une pause ?

Jasmine, cette fois, approuva, épuisée par le récit des événements qu'elle venait de relater.
- Amenez Madame Dubois dans mon bureau afin qu'elle se repose quelques minutes. Nous reprendrons le procès dans une demi-heure, conclut la juge.
Carl et Jacob furent déçus de ne pouvoir réconforter cette femme en détresse. Ils se levèrent et se dirigèrent vers la cafétéria de l'édifice.
- Je n'arrive pas à croire qu'elle ne m'en ait jamais parlé, dit son frère, malade par les propos entendus.
- Tu sais, Jacob, la peur et la honte sont des sentiments insurmontables. Il faut dorénavant penser à Jasmine pour l'aider à vivre avec cette blessure qui sera longue à cicatriser.
- Pourquoi t'a-t-elle dit tout cela, à toi ? Tu es un étranger ; il me semble que ce serait plus facile d'en parler avec la famille.
- Détrompe-toi, Jacob, le sentiment d'humiliation est encore plus fort quand on doit avouer à des personnes de notre entourage. C'est la peur d'être jugé, tu comprends ? Un étranger ne peut juger quelqu'un qu'il ne connaît pas...
- Comment a-t-elle survécu à tout cela ? demanda le frère dont l'expression se rapprochait du dégoût et de désespoir.

- Un jour, elle y aurait sans doute laissé sa peau, dit le médecin, chassant aussitôt cette pensée funeste de sa tête.
- Il mérite la peine de mort, ce salaud, blasphéma Jacob. Je l'ai vu si souvent la menacer de mort, et ce, très ouvertement. Il m'avait même menacé, moi-même, un jour, quand je suis allé chercher Jasmine. Il disait que j'étais comme elle et qu'un jour, il allait nous faire disparaître tous les deux, et qu'il garderait sa fille pour lui seul.
- Moi, je pense qu'il doit être soigné dans un institut. Tu sais, avec un bon vouloir, il a des chances de s'en sortir.
- J'espère qu'il pourrira en enfer, rétorqua Jacob, fou de colère.
- Je trouve que Maître Robillard se débrouille très bien, avoua Carl avec franchise.
- Oui, mais maintenant que je suis au courant de toutes ces saloperies, je la trouve aussi très peu compatissante envers ma sœur.
Carl sourit faiblement, voyant Jacob reprendre un peu le contrôle de ses sentiments.
- Allons-y, fit le frère, je ne veux pas être en retard.
Lorsqu'ils virent arriver Jasmine à la barre des témoins, les deux hommes se regardèrent, impuissants devant la situation.

Jasmine était toujours en larmes, mais elle conservait un certain calme.
- Poursuivez, Madame Dubois, demanda la juge.
Jasmine raconta l'épisode où son mari lui avait fait terriblement mal en pénétrant dans ses organes génitaux tout ce qu'il trouvait à sa portée. Elle avait dû se rendre à l'hôpital se faire traiter pour une hémorragie.
Elle n'avait pas le choix de subir ces obscénités ; il menaçait de la tuer si elle refusait. Jacob laissa échapper un cri d'horreur.
Jasmine dut reprendre trois fois son récit, elle le termina en hurlant de douleur, les mains dans le visage.
Elle ne voulait pas voir l'expression déchirée, ulcérée et dégoûtée de son frère. Quand, à bout de force, elle se tut, l'audience resta silencieuse durant un long moment. L'avocate prit la parole.
- Votre Honneur, j'ai des preuves de la visite de Madame Dubois à l'hôpital où elle s'est rendue faire soigner cette hémorragie. Vous y trouverez l'heure, la date, ainsi que le motif de la consultation… J'ai terminé, Votre Honneur, conclut l'avocate.
- Maître Dufresne, vous avez des questions, demanda la juge ?

Il régnait un silence de mort dans la cour. On n'entendait que les pleurs de Jasmine à la barre des témoins. L'avocat de Richard ne semblait pas au courant de ces faits et il demanda un ajournement. La juge posa son regard sur la partie adverse et surtout, sur la pauvre femme assise près d'elle.
- Nous reprendrons demain, à quatorze heures.
Jasmine n'avait pas bougé lorsque son frère vint la chercher.
Elle s'élança à son cou, déchargeant son humiliation sur son frère qu'elle aimait tant.
- Tu entres à la maison avec moi, ordonna Jacob.
- Non, je ne veux pas que Marie me voie dans un état pareil.
Elle regarda Richard passer devant elle avec un air de chien battu. Puis, elle détourna la tête en entendant son rire cristallin qu'elle détestait tant.
- Jacob, tu veux bien garder la petite encore une fois ?
- Ne t'en fais pas avec Marie-Soleil, ce n'est pas un fardeau pour nous. On peut la garder aussi souvent que tu en auras besoin.
- Jasmine, dit l'avocate qui venait de s'approcher d'eux, ne vous inquiétez pas ; c'est gagné d'avance. Je crois que votre mari avait omis de faire quelques confidences à son avocat, fit-elle, souriante.

- Je ne suis pas aussi optimiste que vous, avoua Jasmine, trop épuisée pour se réjouir à l'avance.
- Ça va aller, ne vous en faites pas.
Carl n'avait pas bougé de son banc. Lorsqu'il vit Jasmine aller vers lui, il se leva.
- Carl, tu veux bien reconduire Jasmine chez elle ? Je dois rester, j'ai une plaidoirie à treize heures.
Jacob serra sa sœur dans ses bras et l'entendit pleurer sur son épaule.
- Ne t'en fais pas, sœurette, je comprends ton désarroi et ce salaud va payer pour tout ce qu'il t'a fait subir.
- Tu n'as pas honte de moi ? lança-t-elle, comme si c'était nécessaire.
- Jamais je n'aurai honte de toi, comprends bien cela, Jasmine ! On t'a forcée la main, tu n'as jamais été consentante, alors je n'ai aucune raison de te juger. Je t'aime et je vais m'occuper encore plus de toi à l'avenir. Maintenant, va te reposer, je t'appelle ce soir. Et si tu en ressens le besoin, tu me contactes ici ; je serai toujours là pour toi, conclut son frère.
- Merci, Jacob, prononça avec peine la femme en état de fatigue avancé.
- Veille sur elle, Carl, demanda Jacob en lui donnant une tape dans le dos en signe de reconnaissance.

Chapitre 9

Installé au volant de sa voiture, Carl regardait près de lui la jeune femme encore tremblante d'émotion. Il prit sa main et la serra très fort pour la réconforter à sa manière.

Il sentit les doigts de la jeune femme serrer fortement les siens.

- Vous voulez aller manger une bouchée quelque part ? proposa le médecin.

- Non, dit-elle simplement.

- Il faut vous nourrir, Jasmine, sinon, vous ne tiendrez pas le coup.

- Je ne veux voir personne ; je me sens souillée et humiliée.

- Vous seriez choquée si je vous demandais de venir à la maison avec moi ? s'aventura Carl.
- Non, avec vous, Carl, je suis très à l'aise.
Il lâcha aussitôt sa main de peur que la jeune femme ne s'aperçoive de la joie que lui procurait ces simples mots.
- Je vous avertis : ma maison est modeste, comparée à la vôtre, précisa-t-il, moqueur.
- Peut-être, mais c'est sûrement plus chaleureux.
En entrant dans le petit salon, Jasmine remarqua tout de suite le confort des lieux. La petite maison canadienne était simple, mais décorée avec goût. Les rideaux de dentelle blanche représentaient une maison de campagne où travaillaient des habitants à la coupe du bois.
- Je trouve votre maison très agréable, Carl, dit Jasmine qui se promenait sans cesse dans la pièce à la recherche d'un objet qui serait la cause de cette ambiance si lénifiante.
Carl l'avisa tout de suite qu'il n'y était pour rien ; il avait engagé une décoratrice. Il s'affairait à la cuisine lorsque Jasmine le rejoignit.
- Vous n'avez pas de bonne ? fit-elle, surprise de sa débrouillardise en matière culinaire.
- Non, je n'en ai pas besoin. Pourquoi cette question ? dit l'homme en souriant.

- Je ne sais pas, peut-être à cause de la propreté de votre demeure.
- Je m'organise, ajouta Carl simplement.
- Et en plus, vous me semblez bon cuisinier, dit la femme qui semblait oublier un peu son avant-midi.
- Mais bien sûr, les célibataires sont débrouillards de nos jours, ajouta Carl en souriant cette fois sans gêne.
- Pourquoi ne vous êtes-vous jamais marié ? demanda la femme avec curiosité.
- Je ne sais pas, peut-être n'ai-je pas cherché longtemps et, de toute manière, je n'en ai pas eu le temps. Mon travail m'accapare énormément et je crois que, comme me dirait ma sœur, j'en donne plus que le client en demande, lutina l'homme mi-moqueur.
- Il faudra bien vous décider un jour, si vous voulez fonder une famille, Carl.
- Je sais, mais je n'en fais pas une priorité.
- Carl, où est le cabinet ? J'ai besoin de me rafraîchir un peu... l'avant midi a été pénible et je me sens défraîchie, dit la femme, retournant subitement dans sa réalité.
- Venez.
Il l'emmena jusqu'à la porte.
- Je peux vous emprunter une débarbouillette pour

rafraîchir mon visage ?
- Mieux que cela : je vous fais couler un bain pendant que je prépare le souper. Ainsi, vous pourrez vous relaxer à votre guise.
- Je ne peux accepter, Carl, fit la femme en reculant d'un pas.

Carl se maudit intérieurement d'avoir été aussi loin, lui et ses bonnes manières. Il cherchait par tous les moyens à se reprendre.
- Jasmine, je vous disais cela pour votre bien-être, je n'avais aucune arrière-pensée, vous savez... s'excusa l'homme afin d'atténuer cette familiarité.

Jasmine ne savait plus si elle devait accepter ou refuser. Elle regardait ce bain qui l'attirait irrésistiblement, mais en même temps, elle était mal à l'aise d'accepter l'offre de l'homme qui semblait pourtant ne vouloir que satisfaire son besoin de se détendre.
- D'accord, lança la femme dont l'épuisement commençait à se faire sentir.

Carl faisait déjà couler le bain et mit à sa portée la lingerie nécessaire à sa toilette.
- Relaxez ; le souper ne sera prêt que dans une bonne heure.
- Merci, ajouta-t-elle simplement.

Jasmine ressassait dans sa tête les événements de la journée. Pourquoi Richard mentait-il ? Il savait qu'il avait abusé d'elle. Comment faire éclater la vérité ? Elle pleurait, sanglotait en silence de peur que Carl se rende compte de sa faiblesse. Elle prit la savonnette et se mit à se frotter vigoureusement. Sa rage était telle que l'eau se répandait partout sur le sol de la salle de bain. Elle se savonnait sans cesse avec force et colère, elle lavait, nettoyait, purifiait ses parties intimes avec rudesse.
Carl déposait les assiettes sur la table lorsqu'il entendit un cri. Il se rua vers la porte, l'ouvrit toute grande et vit la jeune femme dans une rage folle. Sa tête était presque sous l'eau et ses cris étaient étouffés par manque d'air. Il s'élança vers elle et, essaya de calmer cette fureur en état de panique.
- Tu es un salaud, cria-t-elle, tu m'as salie, tu as abusé de moi ! Tu as fait de moi ta marionnette. Je te tuerai, Richard Dubois, je te tuerai !
- Cela suffit, Jasmine ! avait crié Carl, inondé par l'eau que la femme hystérique envoyait dans ses mouvements incontrôlables.
- Non, vous ne comprenez pas, cet homme m'a souillée, il faut que j'enlève toute trace de sa personne sur mon corps...
- Ce n'est pas de cette manière que vous y

parviendrez.
Mais Carl comprenait très bien ce que la jeune femme voulait dire.
- Calmez-vous, Jasmine, insista l'homme.
Cette fois, il était presque dans le bain avec elle, essayant de la contrôler.
Elle s'apaisa lentement.
Carl la lâcha quelques secondes en demeurant près d'elle. Il se débarrassa de ses souliers et de ses bas détrempés. Il aida la jeune femme à sortir du bain et lui enfila une robe de chambre.
- Jamais plus personne ne voudra de moi ; je suis une pourriture ! fulmina la femme meurtrie.
- Ce n'est pas vous, la pourriture, et vous le savez très bien, prononça Carl en douceur pour calmer les éclats de la femme. Il n'y a rien sur votre visage qui révèle ce que vous avez subi dans le passé.
- Alors, faites-moi l'amour ! cria-t-elle, folle de rage. Si vous avez le courage de séduire un corps ravagé par les viols, prouvez-le-moi... si, comme vous dites, il est possible que quelqu'un veuille encore de moi, darda la femme, hystérique.
- Jasmine, repris Carl avec un calme qui le surprit lui-même, vous savez très bien que je n'en ai pas le droit.
- C'est ce que vous dites, mais au fond, vous avez

peur de vous abaisser. Je vous dégoûte, n'est-ce pas ? Dites-le ! Ce sera ainsi avec tous les hommes que je rencontrerai. Je suis une femme finie, désabusée ! cria Jasmine, hors d'elle.

En réponse à ses blâmes, il prit ses lèvres dans un baiser tendre et rassurant. Il couvrit ses yeux de baisers et reprit la bouche avec douceur. Elle s'accrocha à lui de toutes ses forces.

- Aimez-moi, Carl, je vous en prie, supplia la femme dont la colère se changea en supplication.

Carl sentit qu'il devenait fou. Il avait envie de montrer à cette femme que la douceur et la tendresse pouvaient exister, mais en aucun cas il ne devait fléchir.

Il la repoussa légèrement.

- Jasmine, vous le regretteriez si je vous faisais l'amour ; vous avez besoin présentement de savoir si vous pouvez plaire à nouveau, et moi, je vous dis que oui. Ne laissez pas détruire cette belle relation qui existe entre nous par une faute irréparable.

Mais déjà, elle lui imposait à nouveau ses lèvres avec imploration, sans porter attention aux efforts que faisait l'homme pour se sortir de cette impasse. Carl essayait par tous les moyens de convaincre Jasmine de cesser ce jeu dangereux. Elle était plus atteinte qu'il ne le croyait.

- Maintenant, cela suffit, Jasmine, ordonna l'homme plus sûr de lui.
Elle capitula et recula d'un pas.
- Maintenant, je sais que pour vous, je ne suis pas dégoûtante, dit la femme qui semblait reprendre ses esprits. Je regrette d'avoir mis votre salle de bain dans un tel état.
- Jasmine, vous ne...
- Non, fit-elle en mettant la main sur sa bouche, je suis persuadée que je suis une petite garce. Vous emmener, vous supplier, vous quémander de me faire l'amour pour ensuite vous repousser... J'en avais envie, Carl, je vous jure que j'en avais envie. Ne m'en voulez pas, surtout ; j'ai tellement besoin de votre amitié, dit une Jasmine déconcertée par son comportement immature.
- Merci d'être aussi compréhensive, ajouta Carl à bout d'arguments et abasourdi par le revirement soudain de la femme.
Comme il s'apprêtait à sortir de la salle de bain, il glissa sur le plancher mouillé, se retrouvant face contre le sol. Jasmine pouffa de rire très fort. Il se releva, un peu engourdi sous le choc et en voyant Jasmine se tordre de rire, il éclata à son tour.
- Si la juge nous voyait... lança la femme dont le rire n'arrêtait pas de résonner en échos dans la pièce.

Cette fois, ils se laissèrent aller à rire jusqu'à s'égosiller comme deux enfants qui venaient de faire les quatre cents coups.
Jasmine avait remis ses vêtements et retrouva Carl à la cuisine.
- Merci, Carl, pour la joie que vous apportez dans ma vie. Je ne sais plus à quel moment j'ai dû rire de la sorte, fit la femme, reconnaissante de ce moment de répit.
Jasmine mangea légèrement, mais apprécia ce que Carl avait fait pour elle.
- Dites-moi Carl, combien vous dois-je pour mes consultations ? Je n'ai rien déboursé encore. Je veux vous payer ce que je vous dois jusqu'à ce jour.
- Oh ! là... un moment, je n'ai pas tout calculé encore ; ni le bain, ni le repas, ni...
Elle éclata de rire à nouveau.
- Vous êtes belle quand vous souriez Jasmine, déclara Carl avec sérieux.
Elle baissa les yeux, rougissante, n'ayant pas l'habitude de ce genre de galanterie.
- Maintenant, on prend un bon café...
- Et vous préparez ma facture, insista la femme.
Elle demanda à Carl de se servir du téléphone pour contacter Suzie.
- Bonjour, Suzie.

- Jasmine, comment vas-tu ?
- Je vais tenir le coup. Comment va Marie-Soleil ?
- Un ange, cette enfant. Elle est près de moi. Tu veux lui parler ?
Elle parla quelques instants avec la petite puis, demanda à parler à Jacob.
- Jasmine, où es-tu ? Je téléphone chez toi depuis une heure et je n'ai pas de réponse, bon sang ! jura le frère, anxieux.
- Pardonne-moi, Jacob, lorsque nous avons quitté le palais de justice, Carl m'a offert d'aller manger une bouchée chez lui, et j'ai accepté.
Carl écoutait la jeune femme s'excuser sans arrêt de fautes qu'elle n'avait pas commises.
- Je te serais reconnaissante de la garder encore une nuit. Je t'aime, Jacob, embrasse Marie pour moi. On se reverra demain.
- Jasmine...
Elle se retourna brusquement, comme si elle avait eu peur de quelque chose.
- J'aimerais discuter avec vous un peu ce soir, ça vous dirait ?
- Pas avant d'avoir reçu votre facture ?
Il l'emmena sur le canapé du salon. Elle fouilla dans son sac à main et fit un chèque et le remit à Carl aussitôt.

- Merci, fit l'homme, simplement, mais mal à l'aise de prendre cet argent.
Pardieu, pourquoi se sentait-il gêné ? Il en avait fait beaucoup plus pour cette femme que pour n'importe quel autre patient.
- Alors, de quoi voulez-vous parler ? demanda la femme qui le ramena à la réalité.
- Pourquoi vous laissez-vous toujours mener par le bout du nez ?
- Quoi ? lança une Jasmine surprise par la question.
- Oui, même avec Jacob. À vous entendre parler, vous lui devez tout. Vous êtes toujours à vous excuser d'une maladresse que vous n'avez pas commise.
- Si je l'avais écouté un peu plus auparavant, je n'en serais sûrement pas là aujourd'hui.
- Je suis d'accord, Jasmine, mais le passé est le passé et on ne peut pas revenir en arrière. Si votre comportement démontre trop de vulnérabilité, on abusera toujours de vous. Ne baissez plus les bras devant les petites épreuves de la vie courante.
- Ce que je vis aujourd'hui, vous appelez cela une simple petite épreuve ? répliqua la femme qui venait de se lever en serrant les poings.
- Non, je ne parle pas de cela. Je parle du fait que vous demandez pardon sans cesse à Jacob de ne

pas l'avoir appelé, de garder votre enfant... S'il le fait, c'est qu'il veut bien le faire.
Et c'est son oncle, après tout. Je sais que vous voulez être reconnaissante, mais pas au point de vous mettre à genoux, Jasmine. Vous comprenez mon point de vue ?
Elle acquiesça.
- Vous savez, Carl, j'ai tellement été soumise, rectifia la femme comme si elle se parlait à elle-même. J'avais si peur que je ne pouvais rien refuser. J'ai eu tellement mal, autant physiquement que moralement. Maintenant, je m'accroche à tout ce qui est bien pour moi et je me dois de remercier les gens, car c'est grâce à eux si je suis en vie aujourd'hui.
- Oui, mais maintenant, vous n'avez plus à avoir peur de personne. Si un jour, quelqu'un vous occasionnait des problèmes, vous répondriez avec franchise, sincérité et assurance. Comme si cette personne ne pouvait vous atteindre.
- J'essaierai Carl, j'essaierai, je vous le promets. Vous êtes si bon avec moi que...
Et elle s'arrêta net car elle venait de comprendre le sens du mot faiblesse.
Carl regarda la femme en souriant.
- Ce n'est pas grave avec moi, vous savez, je ne

vous provoquerai jamais, je vous protège.
Jasmine semblait perdue dans ses pensées. Carl continuait son allocution quand il vit la femme se diriger vers lui lentement.
- Vous allez bien, Jasmine, s'enquit l'homme en se levant et en venant à sa rencontre.
- Pourquoi faites-vous tout cela pour moi ? Je suis certaine que vous n'en faites pas autant pour les autres clients…
- Parce que je vous sais plus vulnérable et que Jacob est un bon copain… et parce que vous êtes ultrasensible et que vous avez besoin de mon aide.
- Pourquoi est-ce que je me sens si bien avec vous alors ? questionna de nouveau la jeune femme.
- Peut-être parce que je sais tout de vous même si je suis un étranger ; c'est beaucoup plus facile de s'ouvrir à quelqu'un sans lien de parenté !
- Carl… je voudrais avoir une relation avec vous, pour me prouver que je suis encore capable de plaire.
- Je ne peux vous donner cela, Jasmine.
Il voyait couler les larmes sur son visage terni par la fatigue.
- Ma vie ne sera qu'un tas de refus, dit la femme au désespoir.
- Ne dites pas cela, Jasmine, venez.

Il l'emmena dans sa propre chambre et la borda gentiment.
- Reposez-vous, demain est encore une journée pénible et il faut que vous soyez en forme pour y faire face.
- Restez avec moi Carl, le temps que je m'endorme, demanda Jasmine dont les yeux ployaient sous l'épuisement.
- Je reste près de vous, fit-il simplement.
Il approcha une chaise près du lit, saisit un bouquin et laissa la femme s'endormir tranquillement dans sa couche.

Carl était sous la douche et pensait que Jasmine aurait besoin de soins pour une longue période encore. Il devait la guérir de son manque de confiance en elle, lui réapprendre à s'aimer, à vivre normalement. Et lui, dans tout cela, il devait faire très attention afin de ne pas se laisser séduire par la douceur et la vulnérabilité de cette femme.
Il était assis au salon lorsqu'il entendit la sonnerie du téléphone.
- Docteur Anctil, Maître Robillard à l'appareil.
- Que puis-je pour vous, risqua Carl sur la défensive.
- Je cherche Jasmine, vous ne sauriez pas où elle se trouve ? J'ai appelé chez elle et il n'y a pas de

réponse. J'ai téléphoné chez son frère et il m'a dit qu'elle pouvait être chez-vous.
- Oui, elle est ici, en effet.
Il y eut un long silence à l'autre bout du fil : le spécialiste sentit la moutarde lui monter au nez.
- Maître Robillard, je n'ai pas de relation avec Jasmine ; je l'ai invitée chez moi après le procès, car je trouvais qu'elle n'était pas en état de retourner chez elle, seule.
- Mais il est plus de dix heures, insista l'avocate.
- Je peux terminer, Maître Robillard ? coupa un Carl impatient. Nous avons soupé et Jasmine a piqué une crise atroce, se sentant sale et dégoûtée ; elle a failli se noyer dans la baignoire. Maintenant, elle dort dans mon lit et moi, je suis dans le salon. D'autres questions, Maître ? demanda Carl, hors de lui cette fois.
- Je vous demande pardon, Docteur Anctil, dit l'avocate comme pour se racheter.
- Je peux la réveiller ; il faut de toute manière que j'aille la reconduire tout à l'heure.
- N'en faites rien, Carl, minauda la femme dont la voix était devenue mielleuse. Il me manque un morceau du casse-tête. Ne vous aurait-elle pas dit autre chose, par hasard ?
- Comme quoi ? demanda Carl, curieux.

- Et bien, j'ai ouï-dire qu'il y aurait eu ménage à trois.
Carl serra les dents.
- Oui, je suis au courant.
- Pourquoi ne pas me l'avoir dit, explosa l'avocate.
- Écoutez Maître, j'ai aussi droit au secret professionnel et Jasmine m'avait demandé de garder le secret.
- Je comprends très bien, mais il faut que je sois au courant. Si l'avocat de M. Dubois amenait une autre personne à la barre sans que je sois au courant, j'aurais l'air de quoi, moi, dans tout cela ?
- Donnez-moi votre numéro ; je vais demander à Jasmine de vous appeler dès ce soir, coupa l'homme, fatigué d'entendre les sarcasmes de la femme au bout du fil.
- C'est très important, Docteur, ajouta l'avocate comme si la vie de sa cliente était en jeu.
- Vous pouvez compter sur moi, Maître.
- Docteur, fit la femme au bout du fil, je sais garder les secrets, moi aussi, ajouta-t-elle avant de raccrocher.
Carl déposa le combiné, furieux de ses dernières paroles.
Il entra dans la chambre et trouva la jeune femme éveillée.

- Le téléphone m'a réveillée.

- Oui, c'était Maître Robillard ; elle demande que vous l'appeliez sans faute ce soir.

- Que se passe-t-il, Carl ?

- Elle est au courant pour le patron de Richard.

- Oh non ! cria la femme en plaçant la main sur sa bouche. Qui l'a mise au courant ?

- Une source... mais si c'est l'avocat de votre mari, allez savoir ce qu'il mijote.

- Mon dieu, il doit lui avoir dit que c'était moi qui... Elle étouffa ses mots dans les pleurs.

- Chut ! chut ! ne pensez pas à cela. Allez plutôt appeler votre avocate.

- Je dois tout lui dire, s'inquiéta la femme ?

- Oui...

- Et je devrai le répéter à la cour ? insista la femme qui cherchait une échappatoire à ce cauchemar.

- Je crois que oui, Jasmine, confirma l'homme dont l'incertitude se voulait mensonge.

- Oh, non ! s'exclama-t-elle, je ne le pourrai jamais ! tempêta Jasmine en se levant et en parcourant la pièce de long en large. Carl, supplia la femme en délire, trouvez un moyen pour que cela ne se passe pas devant la cour.

- Allez vous préparer, nous allons chez Maître Robillard, dit l'homme impuissant à répondre à la

demande de Jasmine.
Jasmine confirma à l'avocate qu'elle se rendrait à son cabinet dans les plus brefs délais.
La femme était d'une nervosité incontrôlable pendant le trajet. Carl essayait par tous les moyens de la calmer.
- Je regrette de vous déranger aussi tard, Jasmine, mais j'ai besoin de connaître les détails de cette « comédie », dit l'avocate, peu sûre de l'information qu'elle avait reçue.
- Ce n'est pas une comédie ! cria Jasmine hors d'elle. Le plus effroyable, c'est que... c'est bien vrai.
L'avocate écarquilla les yeux, surprise de la force des mots de la femme en proie à l'hystérie totale.
- Je ne veux pas parler de cela devant la cour. J'en ai assez de me faire pointer du doigt, de toujours avoir l'air d'être la coupable. Je suis l'innocente, moi, la victime d'un maître chanteur. Vous ne comprenez donc pas ? hurla Jasmine, dont le visage était déformé par une rage et un sentiment d'injustice.
- Calmez-vous, insista l'avocate. Racontez-moi les détails, Jasmine, nous verrons ensuite ce que l'on peut éviter de dire. D'accord ?
La jeune femme regarda son médecin, désemparée. Elle dut revivre encore une fois ces moments

pénibles et avec la même répugnance.
Carl regardait l'expression de l'avocate qui en disait long sur les dires de la pauvre femme.
Jasmine termina son récit atroce dans une crise de larmes épouvantable.
Carl vint près d'elle pour essayer de l'apaiser un peu, mais elle le repoussa avec force.
- Ne m'obligez pas à me livrer ainsi en public, je vous en prie, conjura la femme en se laissant tomber à genoux, à bout de forces.
- Jasmine ... - l'avocate vint la rejoindre sur le plancher et la prit dans ses bras pour la consoler.
Je vais voir demain ce que je peux faire avec la juge.
Je ne vous promets rien, mais nous essaierons de ne pas dévoiler certains faits.
Les paroles de l'avocate calmèrent graduellement les pleurs de la femme en détresse.
Carl aida Jasmine à se relever et se dirigea vers la porte.
- Docteur, dit l'avocate, ne la laissez pas seule, son comportement m'inquiète.
« Tiens donc, pensa Carl, elle devient plus humaine. »
- Ce n'était pas mon intention, Maître. Je l'accompagnerai tant que le procès ne sera pas terminé.

- Pardonnez-moi Jasmine, de vous avoir fait revivre ces atrocités, ajouta l'avocate dont le timbre de la voix montrait de la sincérité.

Dans la voiture qui les ramenait, Carl demanda à Jasmine si elle voulait être accompagné dans la maison.

- Non, merci, Carl. Vous en avez beaucoup trop fait pour moi jusqu'à maintenant. J'ai abusé de votre générosité.

Et elle ajouta, comme pour elle-même :

- Le fait d'avoir été abusé si souvent me donne peut-être le droit d'abuser des autres...

- Ne dites pas cela. Je reste avec vous ce soir, confirma l'homme, fatigué de voir souffrir sa cliente.

- Non, je préfère rester seule, insista-t-elle.

- Jasmine, s'aventura l'homme, si jamais, cette nuit, vous aviez besoin de moi, n'hésitez pas à me téléphoner, d'accord ?

Elle approuva d'un signe de tête et sortit de la voiture sans ajouter un mot.

Carl la regarda entrer chez elle et fut rassuré de voir le gardien près de la porte d'entrée.

L'homme étendu dans son lit pensait à cette cause qui le tiraillait. Il se voulait le protecteur de sa patiente et en même temps, il avait peur d'en faire trop. Carl sentait qu'elle avait un besoin immense

d'être entourée de gens qui la comprennent, la supportent et l'encouragent dans sa recherche de justice.
Il ferma les yeux et laissa le sort décider de ce qu'il adviendrait de l'avenir de cette pauvre femme désemparée.
Jasmine, de son côté, n'arrivait pas à dormir. Elle pleurait et pensait au procès du lendemain. Elle était convaincue que jamais elle ne pourrait avouer ce gâchis subit involontairement.
Des tas de questions surgissaient... Comment réagirait son frère lors de sa déposition ? Quelle serait la réaction macabre de son mari ? Le jury la pointerait-elle du doigt ? Ferait-on d'elle la coupable au lieu de l'innocente victime de tous ces sévices ?
Elle se leva et se dirigea vers la salle de bain. Son regard s'arrêta devant le miroir de sa commode.
Sa mine était affreuse, ses yeux cernés, ses cheveux en broussaille. Elle avait encore quelques traces de meurtrissures sur sa lèvre inférieure.
- Mon dieu, aide-moi, implora la femme qui n'avait cessé, depuis l'arrestation de son mari, d'implorer un être suprême qui pourrait lui venir en aide. Je me sens tellement diminuée, j'ai honte de moi. Jamais plus je ne pourrai faire face à la vie avec un cœur et un corps aussi écorchés. Je me sens comme

une femme morte, avoua cette dernière dont les paroles venaient de l'anéantir encore plus. Les larmes coulaient à flots sur son visage abîmé par les souffrances physiques et psychologique.

Elle se dirigea de peine et de misère vers le téléphone et appela à l'aide.

Carl, en entendant la sonnerie, sauta hors de son lit avec rapidité.

- Carl, implora la voix à l'autre bout du fil, je n'en peux plus, je ne veux pas aller là-bas demain. J'en ai assez de tout cela. Qu'on me laisse tranquille ! Je ne retournerai jamais à la cour. Je veux disparaître si cette sale vie qui continue de s'accrocher à moi.

- Jasmine, dit l'homme d'une voix si douce qu'il réussit à la calmer un peu, je vais chez-vous. Attendez-moi et ne faites rien, supplia le médecin à son tour, inquiet de voir la jeune femme dans cet état.

- Non, c'est moi qui irai cette fois, annonça une Jasmine plus déterminée avant de déposer le combiné.

- Mais, Jasmine…

Chapitre 10

Carl était en état alerte, il ne pouvait concevoir qu'elle puisse conduire malgré tous ses troubles. Il fut grandement rassuré lorsqu'il aperçut une lueur dans l'entrée de sa cour arrière. Il se rua vers la voiture et trouva Jasmine, assise au volant, en proie à une forte crise de larmes.

- Laissez-moi mourir, dit la femme dépressive, impuissante devant le fardeau qui continuait de s'abattre sur elle.

Carl considéra comme miraculeux que cette femme bouleversée ait réussi à se rendre chez-lui.

- Ne parlez pas ainsi, Jasmine, dit l'homme déchiré par les souffrances de la femme affligée.

Il l'emmena à l'intérieur de la maison et téléphona à une amie médecin.

- Cynthia, ici Carl. Je regrette de te déranger au beau milieu de la nuit, mais j'ai besoin de ton aide, avoua l'homme, impuissant.

- Une cliente ? questionna la femme dont l'appel ne semblait pas déranger.

- Exactement. Elle est en état de dépression très avancé, je crois, elle parle même de mourir. J'ai besoin de ton aide, car je me demande si je peux lui donner un antidépresseur ; en plus, elle a déjà tenté de se suicider, il y a environ un mois. Elle refuse tout médicament depuis ce temps, mais là, je suis très inquiet.

Il entendit la femme rire à l'autre bout du fil.

- Je te comprends ! Ce n'est pas facile de lui en donner si elle n'en veut pas. Aimerais-tu que j'aille chez toi une heure ou deux pour te tenir compagnie et essayer de la calmer ?

- Je t'en serais très reconnaissant, Cynthia.

- Attends-moi, je serai là dans moins de vingt minutes.

Carl alla rejoindre Jasmine qui n'avait cessé de pleurer et qui ne semblait pas être plus calmée.

- Jasmine, j'ai fait venir une copine qui est médecin ; elle va vous aider à faire diminuer votre angoisse.

- Je devrai tout lui raconter, à elle aussi ? lança la femme en se levant d'un geste sec. J'en ai assez, moi, de toujours recommencer, je ne vois plus la fin de ce tourment.
- Non, pas du tout ; elle vient seulement vous expliquer les bienfaits que pourraient vous apporter quelques médicaments.
- Je ne veux pas de cette drogue, rétorqua la femme hors d'elle, vous ne voyez donc pas que je suis déjà en train d'y laisser ma peau ? Je n'ai pas besoin d'un médicament dont je suis moi-même incapable de contrôler la dose. Je crois que Richard avait raison : je deviens vraiment folle.
- Jasmine, dit Carl en saisissant sa main afin d'essayer de la calmer, aimeriez-vous que je la rappelle pour annuler ?
Mais déjà, le gong de la porte d'entrée résonna dans la pièce demeurée silencieuse depuis la question.
Carl sourit en voyant entrer sa bonne amie Cynthia. Il l'embrassa sur la joue avec chaleur, lui apprenant du même fait que la femme au salon n'était pas très heureuse de sa visite.
- Ne t'en fais pas, murmura-t-elle doucement, j'ai l'habitude.
Et elle se dirigea directement dans la pièce où se trouvait Jasmine.

- Bonjour, fit la femme médecin en tendant la main à une Jasmine abattue. Je suis la Docteure Cynthia Gagnon et je suis l à pour vous soulager de l'horrible angoisse qui vous habite. Vous voulez en parler avec moi ?
Jasmine avait pris la main de la femme devant elle avec indifférence.
- Vous voulez connaître ma vie, vous aussi ? critiqua Jasmine avec force.
- Non, pas nécessairement. Je veux seulement vous expliquer les effets positifs d'une médication sur votre angoisse.
- Vous croyez qu'avec des pilules, je redeviendrai normale ? Vous ne voyez donc pas que ma vie est finie, que jamais plus je ne retrouverai un état d'âme serein ?
- Et Marie-Soleil, répliqua Carl qui venait de faire éruption dans la pièce.
À ces mots, la femme se laissa choir sur le fauteuil près d'elle.
Cynthia vint près d'elle et lui prit la main avec chaleur.
- Marie-Soleil est votre enfant, n'est-ce pas ?
Jasmine approuva d'un signe de tête.
- Je n'ai plus qu'elle au monde, je dois m'en sortir pour elle, vous comprenez, Docteure ? Dites-moi

que vous comprenez, insista Jasmine, en prenant le médecin par les épaules. Je n'ai plus la force de me battre seule, je me sens anéantie par cette lourdeur. Mes frêles épaules ne sont plus capables d'en supporter d'avantage : je m'enfonce comme dans un sable mouvant. Je ne sais plus où m'accrocher, je m'engloutis profondément dans cette saloperie.
- Oui, je comprends votre désarroi. Alors, dites-moi, insinua la jeune médecin, vous connaissez un moyen pour vous sortir de là ? Je pourrais peut-être vous venir en aide…
- Ne les laissez pas m'emmener en cour dévoiler ces atrocités que j'ai subies, je vous en supplie, Docteure, implora la femme en pleurs sur son épaule. Ma vie est devenue un enfer depuis que j'ai décidé de dénoncer mon mari ; maintenant, je le regrette. Vous ne pouvez pas vous imaginer comme je regrette d'avoir agi ainsi.
Cynthia avait regardé Carl qui était impuissant face à cette demande.
- Vous savez Jasmine, dit la docteure, il faudra un jour ou l'autre faire face à la justice ; pourquoi ne pas battre le fer pendant qu'il est chaud ? Ainsi, vous pourriez, à l'avenir, vivre une vie plus saine, plus normale. Et recommencer une nouvelle vie avec votre enfant devrait vous donner la raison de vous

battre avec rigueur.

Carl crut voir une étincelle de vie dans les yeux de la jeune mère en détresse. Cynthia avait trouvé les mots justes pour lui redonner courage et force.

Jasmine se leva et arpenta la pièce avec lenteur, cette fois.

- Pourquoi suis-je entourée de gens qui ne veulent que mon bien sans être capable d'apprécier cet aide ? Pourquoi, Docteure, suis-je ainsi ?

- C'est bien normal que vous soyez ainsi ; nous ne sommes que des instruments d'aide à vos yeux, car vous croyez que nous sommes impuissants face à votre malheureux destin. Mais c'est faux ; on ne peut pas vivre les événements à votre place, Jasmine, mais on peut vous aider à les vivre. Vous savez, c'est beaucoup plus facile de traverser des épreuves entourées d'amis qui nous supportent.

Jasmine resta quelques secondes à réfléchir ; elle semblait perdue dans ses pensées. Carl en profita pour s'approcher du médecin.

- Alors, comment la trouves-tu ? questionna l'homme, cerné par la fatigue.

- Elle est très dépressive, mais pas au point de commettre l'irréparable. Elle a un bon jugement. Elle arrive encore à penser à son enfant et ça, c'est un bon indice. Tant et aussi longtemps que la petite occupera ses pensées, elle ne commettra pas de tentative de suicide. Je ne crois pas non plus qu'elle ait besoin de médicaments, pour le moment du moins. Cette jeune femme est fatiguée ; voilà le plus gros problème. Le procès se termine quand, au juste ?

- Demain, je crois que le jury rendra son verdict.

- Et ses chances de gagner sont bonnes ?

- Je pense qu'elle gagnera facilement ; son mari est un malade, il est alcoolique et violent.

- Tu aimerais que j'aille au tribunal demain ? C'est mon jour de congé, de toute façon.

- Comment ferais-je pour me passer de toi ? dit l'homme en souriant et en la prenant par les épaules.

- Tu dois être aveugle, lutina la femme en souriant. Tu ne vois qu'aujourd'hui combien je te suis indispensable ?

Les deux spécialistes se tournèrent vers la femme toujours songeuse.

- Dites-moi, Jasmine, demanda Cynthia, êtes-vous prête à faire face une dernière fois aux désagréments de la cour ?

Carl restait muet, guettant la réponse de la jeune femme qui semblait reprendre intérêt à la vie.

- Je me battrai, déclara la femme avec conviction. Je flancherai sûrement encore demain, mais je veux gagner et effacer à jamais cette partie de ma vie.

Carl vint vers elle et la félicita de cette décision aussi importante qu'elle venait de prendre de plein gré.
- Est-ce que ces médicaments font dormir ? demanda Jasmine à la femme qui la regardait avec une immense fierté.
- Oui, vous avez besoin de dormir, Jasmine, et demain vous serez dans une forme extraordinaire pour faire face au jury.
Jasmine tendit la main en signe d'acceptation. Carl alla avec Cynthia dans le bureau chercher le remède pour cette femme épuisée.
- Tu lui prescrirais quelle dose, toi ? demanda Carl à sa consoeur.
- Pas moins de cinq cents milligrammes de clomipramine. Elle doit dormir convenablement cette nuit, mais ne pas être trop indisposée demain lors du procès. Moi, je te conseille de lui donner sous forme de comprimés ce soir, mais par prudence, j'apporterais une injection de tricyclique demain, au cas où les crises deviendraient majeures.
- Les effets sont plus rapides lors de l'injection... pourquoi ne pas lui en donner une, ce soir ? proposa Carl.
- Elle sera d'accord, tu crois ? questionna Cynthia.
- Allons lui demander, on verra bien.
Jasmine accepta de bonne grâce, faisant entièrement

confiance à Carl qui lui expliquait les effets des médicaments sur son système.
Cynthia rangeait ses instruments dans sa trousse et s'apprêtait à partir quand Carl l'arrêta.
- Merci pour ton déplacement, tu m'as rendu un fier service.
- Alors, tu m'inviteras au restaurant, taquina la femme en souriant.
- Promis, dit l'homme au visage souriant. Je t'appelle dès que je suis libre.
- Et tu seras libre quand, tu crois ? demanda Cynthia, peu confiante qu'il la contacterait.
- Cette fois, je te promets que je t'appelle dès cette semaine pour prendre rendez-vous.
Elle accepta sans contrainte.
Il déposa un léger baiser sur sa joue et la reconduisit vers la sortie.
- Tu sais, Carl Anctil, fit la femme ricaneuse, tu deviens pingre en vieillissant, mon cher, faisant allusion au petit baiser innocent qu'elle venait de recevoir.
- Je te prouverai que je ne suis pas si radin que cela, taquina l'homme au caractère jovial. À demain Cynthia et encore merci.
Lorsque Carl pénétra dans la pièce, Jasmine était déjà endormie sur le canapé du salon. Il lui enleva

ses souliers, prit la femme dans ses bras et l'emmena dans son lit afin qu'elle se repose suffisamment.
L'odeur du café réveilla Carl qui se sentait très courbaturé par l'inconfort de son lieu de sommeil. Il se leva du fauteuil et aperçut Jasmine qui préparait un déjeuner copieux.
- Ah ! Bonjour Carl, je me suis permise de mettre mon nez dans vos armoires afin de vous concocter un petit déjeuner.
L'homme fut surpris de voir combien Jasmine avait l'air en forme et il lui en fit la remarque.
- Merci, j'ai très bien dormi en effet. Mais je ne veux en aucun cas m'habituer à ce genre de somnifère, dit-elle sérieusement.
Ils déjeunèrent ensemble en discutant au sujet de Jacob. Jasmine semblait curieuse de savoir à quel moment Carl avait connu son frère. Elle apprit qu'ils avaient fait leurs études ensemble dès le collège et que Jacob avait été un très bon copain de classe. Par la suite, ils avaient eu l'occasion de se revoir, justement dans des causes comme celle de Jasmine.
- Je vais à la douche, dit l'homme en remerciant Jasmine pour ce repas délicieux.
Elle rangea le tout et revint vers la table où la réalité refit surface. Carl la retrouva ainsi attablée, avec une mine aussi défaite que la veille.

- Que se passe-t-il ? dit le spécialiste en arrivant près d'elle.
- Je ne sais pas, fit la pauvre femme bouleversée ; tout à l'heure, je me sentais bien et voilà que je me suis mise à penser au procès. J'ai encore peur, Carl.
Il vint prendre place face à elle en lui tenant les mains.
- Ce sera bientôt terminé, Jasmine. Ne perdez pas courage. La fin est très proche et la victoire aussi…
- Vous êtes bien la seule personne à être capable de me convaincre d'aller à la cour aujourd'hui, fit-elle avec sincérité.
- Il le faut, Jasmine, car si vous ne vous présentez pas, il gagnera, et ce n'est sûrement pas ce que vous voulez, n'est-ce pas ?
- Non, prononça-t-elle à mi-voix.
- Bon, alors en route, sinon, nous serons en retard.
Jacob les attendait à l'entrée du palais de justice. En voyant sa sœur, il se jeta dans ses bras.
- Comment va Marie-Soleil, demanda aussitôt la femme.
- Une merveilleuse petite fille, mais je dois t'avouer qu'elle s'ennuie un peu de sa maman.
- Ce soir, je serai à la maison avec elle, promit Jasmine.
- Jasmine, c'est à nous, confirma l'avocate en

arrivant. Je dois vous dire que j'ai parlementé avec la juge, mais qu'elle ne m'a pas donné beaucoup d'espoir. Elle m'a expliqué que ce serait bien plus facile de parler ouvertement, mais elle comprend aussi votre malaise face à tout cela. Alors, selon les dépositions qui seront faites, elle verra à prendre la décision d'en parler ou pas.

Ces paroles lancées à toute vitesse dans le corridor du palais de justice ne rassura pas la jeune femme.

Quand, dans la salle d'audiences, Jacob vit entrer son beau-frère, il se leva légèrement de son siège. Carl l'arrêta rapidement.

- Calme-toi, la plaidoirie n'est même pas encore commencée.

- S'il n'est pas accusé, je le tuerai, promit Jacob, répugné à la vue de l'homme.

« Tu le tueras sûrement, pensa Carl, après avoir entendu la suite des événements »

- On demande à la barre Docteur Carl Anctil.

Carl sursauta à l'annonce de son nom.

- Docteur Anctil, qu'avez-vous fait hier soir ? questionna l'avocat de l'accusé.

- Objection, Votre Honneur, on entre dans la vie privée d'un témoin, ce qui n'a aucun rapport avec la présente cause.

- Votre Honneur, ma question a un rapport direct

avec notre cause, je peux vous l'affirmer.
- Objection rejetée. Répondez, Docteur Anctil.
- J'étais chez moi.
- Seul, Monsieur Anctil ?
- Objection, Votre Honneur...
- Objection rejetée. Poursuivez, Docteur Anctil.
- J'étais avec ma cliente, Madame Dubois.
- Et que faisiez-vous ? questionna l'avocat adverse.
- J'avais invité Madame Dubois à manger une bouchée au restaurant, mais devant son refus et étant donné son état, je l'ai invitée à venir à la maison. Elle a accepté.
- Ensuite, qu'avez-vous fait ?
- On a discuté pendant un long moment jusqu'à ce que je reçoive un appel de Maître Robillard. Elle demandait à Madame Dubois d'aller la rencontrer afin de faire quelques mises au point.
- Maître Robillard était-elle au courant que Madame Dubois était chez-vous ?
- J'imagine, avoua l'homme heureux de voir la tournure des événements, puisqu'elle a appelé chez-moi pour la rejoindre.
- Et après l'entrevue de Maître Robillard... ?
- Je suis allé reconduire Madame Dubois chez elle et je suis retourné chez moi par la suite.
- Madame Dubois n'est pas retournée chez-vous par

la suite ?
- Maître Dufresne, est-ce que vous faites suivre ma cliente ? questionna le médecin à son tour.
- Docteur Anctil, c'est moi, ici, qui pose les questions et c'est à vous de répondre.
- Votre Honneur, est-ce que je dois répondre à cette question ?
- Maître Dufresne, est-ce que votre question a un rapport direct avec notre cause ?
- Oui Votre Honneur, je veux prouver que le docteur Anctil a une liaison avec Madame Jasmine Dubois.
- Répondez, Docteur.
- Oui, Madame Dubois est revenue chez-moi dans la nuit. Lorsque nous avons quitté Maître Robillard, Madame Dubois était dans un état de crise sévère. Je l'ai ramenée chez-elle en lui rappelant que, si elle avait besoin de moi, à n'importe quel moment, elle pouvait me contacter et c'est ce qu'elle a fait.
- Avez-vous eu des relations autres que professionnelles avec Madame Dubois ?
- Objection, Votre Honneur, le témoin n'est pas obligé de répondre à cette question.
- Docteur Anctil, questionna la juge, est-ce que Madame Dubois était dans un état alarmant ?
- Oui, Votre Honneur, j'ai même eu à demander l'aide de ma consoeur, Docteur Cynthia Gagnon, qui est ici présente.

- Maître Dufresne, je crois que le docteur Anctil se soucie du bien-être de sa cliente et qu'il fait tout ce qui est possible pour lui venir en aide. Alors, si vous n'avez pas d'autres questions...
L'avocat retourna à sa place, furieux que la juge ait détourné son plaidoyer.
- Maître Robillard, vous avez des questions pour le Docteur Anctil ?
- Non, Votre Honneur.
- Merci, Docteur, vous pouvez retourner à votre place.
- On demande à la barre Monsieur Armand Savoie.
Jasmine laissa échapper un cri d'effroi.
La juge la regarda, lui faisant signe de se taire.
- Monsieur Savoie, connaissez-vous cette femme, dit l'avocat en lui indiquant Jasmine.
- Oui, c'est la femme de mon employé.
- Que faites-vous dans la vie, Monsieur Savoie ?
- Je travaille dans la construction.
- À quelle occasion avez-vous rencontré Madame Dubois ?
- Oh ! plusieurs fois, mais le plus souvent chez-elle.
- Monsieur Dubois vous y emmenait ?
- Non, sa femme me téléphonait pour que j'aille la voir.
- C'est faux, cria Jasmine en se levant, il ment !

- Maître Robillard, calmez votre cliente, demanda la juge.
- Jasmine, s'il vous plaît, restez calme. Le procès tire à sa fin : ensuite, vous serez libérée de votre mari à jamais.
- Mais il ment, Votre Honneur, insista la femme. Est-ce qu'on peut le laisser mentir même sous serment ?
- Jasmine, reprit l'avocate, cette fois, on va vous expulser si vous continuez à déranger la cour durant la plaidoirie.
Elle se tut, impuissante car elle ne voulait rien manquer.
- Et pourquoi Madame Dubois vous appelait-elle ?
- Bien... - il semblait hésiter - pour assouvir ses instincts sexuels.
- Oh ! ... s'écrièrent Jacob et Jasmine en même temps.
- Silence, s'il vous plaît, ou je fais évacuer la salle !
- Vous pouvez précisez, Monsieur Savoie ?
- Madame Dubois est une nymphomane, lança l'homme, heureux de voir l'effet de ses paroles.
Il semblait prendre plaisir à blesser le cœur de cette femme par l'injustice de ses propos.
Jasmine avait du mal à se contenir tellement elle était en colère. Son avocate essayait par tous les moyens de la calmer.

- Elle me demandait de venir prendre un café chez-elle, lorsque j'arrivais, elle me séduisait.
- Monsieur Savoie, est-ce que Monsieur Dubois était au courant des appels que vous faisait sa femme ?
- Oui, je lui avais dit. Pourquoi pensiez-vous qu'il la battait ?
Carl avait changé de place et était allé rejoindre Cynthia sur le banc arrière.
- Cet homme est un salaud ! répliqua aussitôt la femme, hors d'elle.
- Oui, je suis de ton avis. Comment la trouves-tu ? Elle tiendra le coup, tu crois ?
- Je pense que non, assura Cynthia. Les émotions sont très fortes et cette déposition l'accable énormément. Elle sent qu'elle va perdre si le jury acquiesce à ces mensonges.
- Alors, attendons de voir la suite. Moi, je suis certain qu'elle va s'écrouler.
- Tu veux dire qu'il y a pire ?
- Oui et si elle craque, ce sera à ce moment-là.
- Alors, je m'approcherai, au besoin. Tu crois qu'elle sait que je suis là ?
- Oui, elle s'est retournée tout à l'heure quand j'ai prononcé ton nom à la barre. Mais pour le moment, tu n'es pas son plus grand souci.
- Non, tu as bien raison. Attendons la suite, nous

verrons bien.

Carl serra la main de Cynthia en signe de reconnaissance et retourna près de Jacob dont les larmes laissaient deviner son désarroi.

- Votre Honneur, je n'ai plus de questions.

- Maître Robillard, le témoin est à vous.

- Merci, Votre Honneur, fit l'avocate, si rayonnante que Jasmine en était étonnée.

- Monsieur Savoie, vous dites que Monsieur Dubois était au courant de vos relations avec Madame Dubois. C'est bien ce que vous avez dit, n'est-ce pas ?

- Oui, c'est exact.

- Monsieur Savoie, je vous rappelle que vous êtes sous serment, vous vous en souvenez ?

Du coup, elle vit le témoin blanchir et baisser la tête rapidement.

- Monsieur Savoie, est-ce que Monsieur Dubois participait à ces actes sexuels ?

- Objection, Votre Honneur, Maître Robillard tend un piège au témoin et il me semble...

- Objection rejetée. Répondez, Monsieur Savoie.

Il leva les yeux vers l'avocat de Richard et fixa un moment son employé.

- Non, jamais.

- Je n'ai pas d'autres questions, Votre Honneur.

- Mais il a menti, lui dit Jasmine dès qu'elle vit revenir l'avocate près d'elle.
- Attendez, ce n'est pas terminé.
- Y a-t-il d'autres témoins à citer ? questionna la juge.
- Oui, Votre Honneur, répondit l'avocate de Jasmine en se levant.
On pouvait percevoir l'agitation du côté adverse.
- Faites entrer le témoin, ordonna la juge.
Jasmine crut mourir de honte en voyant entrer le médecin qui l'avait soignée à l'hôpital. Elle avait été emmenée d'urgence par Richard ; il croyait qu'elle allait mourir au bout de son sang.
Richard, de son côté, lança un juron qui fit sursauter son avocat.
- Docteur Brazeau, vous reconnaissez la jeune femme assise là-bas ? demanda l'avocate en indiquant Jasmine.
- Oui.
- Docteur Brazeau, vous pouvez dire à la cour à quelle occasion vous avez rencontré cette dame ?
- À l'urgence de l'hôpital, au beau milieu de la nuit.
- Docteur Brazeau, est-ce que je peux vous demander si vous vous souvenez de la date exacte ?
- Je m'en souviens très bien : c'était le douze mai, entre deux et trois heures du matin.

- Docteur Brazeau, expliquez-moi comment un médecin qui voit tant de patients dans une journée puisse se souvenir d'un cas en particulier ?
- Lorsque cette femme est arrivée à l'urgence, elle était dans un état lamentable. Une blessure aussi inusitée ne s'oublie pas, Maître.
- Qu'avait-elle, Docteur, vous pouvez l'expliquer au jury ?
- En termes précis, elle avait le conduit vaginal déchiré jusqu'à l'anus.
Jasmine venait de porter les mains à son visage. Elle voulait cacher cette honte et cette douleur qui la tenaillaient. Elle aurait souhaiter se voir ailleurs tellement elle était horrifiée. Il lui semblait que tous les regards étaient tournés vers elle. Cynthia s'était approchée et lui touchait l'épaule pour essayer de l'apaiser.
- Ça va aller, Jasmine ? questionna la femme, elle-même bouleversée par l'attitude de sa patiente.
Jasmine serra la main du médecin dans la sienne, celle-ci put constater à quel point elle avait besoin de son aide.
- Cette déchirure, Docteur, qu'est-ce qui pouvait en être la cause ?
- Difficile à dire, mais...
- Pourrait-on dire : une pénétration double ?

- Objection, Votre Honneur ! cria l'avocat de l'accusé.
- Objection rejetée. Poursuivez Docteur.
- Je dois vous avouer que c'est la première chose qui me soit venue à l'idée en voyant l'étendue de la plaie.
- Docteur, Madame Dubois était-elle consciente à son arrivée à l'hôpital ?
- Malheureusement, oui, Votre Honneur.

L'honorable juge fut dans l'obligation de demander encore une fois le silence, car toute la salle venait de crier son indignation.

- Docteur, Madame Dubois était-elle accompagnée ?
- Oui, cet homme était avec elle, en pointant Richard.
- Lorsqu'elle a quitté les lieux, j'étais inquiet, je dois l'avouer. On voulait la garder sous observation, mais cet homme a refusé, prétextant qu'il en prendrait grand soin. Alors, je l'ai accompagnée jusqu'à la porte. Par la suite, j'ai vu le monsieur qui a témoigné avant moi au volant de la voiture qui la ramenait chez-elle.
- Vous en êtes certain, Docteur ?
- Tout à fait, Maître, confirma le docteur.
- Merci, Docteur Brazeau, je n'ai plus de questions.
- Maître Dufresne...
- Docteur Brazeau, si j'en crois vos dires, Madame

Dubois aurait eu une pénétration double, c'est-à-dire deux pénis à la fois dans la même ouverture.
- Ce sont les termes exacts, Maître, répondit le médecin.
- Il va se pendre, avoua l'avocate de Jasmine.
- Quoi ? dit la femme, sur le point de vomir ?
Quand l'avocate vit sa cliente au bord de l'évanouissement, elle se leva avec rapidité.
- Votre Honneur, je souhaiterais interrompre le procès, car ma cliente ne se sent vraiment pas bien, insista l'avocate qui voyait Jasmine faire des efforts pour ne pas salir l'endroit où elle se trouvait.
- On prend une pause de trente minutes. L'audience est levée.
- Mais, Votre Honneur, cria l'avocat adverse, on ne peut pas interrompre ainsi un procès.
- Depuis quand, Maître Dufresne, un juge n'a-t-il pas le droit de demander une pause de quelques minutes ?
Il ne répondit pas à cette question et retourna à son client.
Jasmine sortit en courant s'élançant dans le grand couloir vers la salle de bain. Cynthia, qui n'avait pas quitté la jeune femme, la trouvait dans un piteux état.
Les deux femmes rejoignirent Carl et Jacob. Jasmine, en pleurs, vint s'appuyer sur son frère qui semblait

abasourdi par les révélations du médecin.
- Pourquoi as-tu enduré toutes ces monstruosités, fit Jacob à la fois frustré et bouleversé.
- Jacob ! avait crié le médecin hors de lui, Jasmine a son compte aujourd'hui ; elle n'a pas à subir ton jugement, ni aucune remarque.
Le frère, anéanti, s'était retiré dans un coin et avait peine à croire que sa pauvre sœur ait enduré tant de souffrances. Jasmine, qui ne semblait pas choquée par les dires de son frangin, alla vers lui, tremblante.
- Jacob, essaie de te mettre à ma place : j'avais peur qu'il m'enlève la vie, tu comprends ? Je vivais sous le menace et le chantage... Je te jure que ce n'est pas moi qui appelais le patron de Richard, j'avais....
- Non, Jasmine, arrête. Je sais bien que c'est faux, je te connais. Mais pourquoi n'es-tu pas venue me voir pour m'en parler ?
La femme baissa la tête, démunie, incapable de lui donner la réplique. Elle raconta à Jacob que Richard la menaçait de lui enlever Marie-Soleil et de la frapper si elle refusait de répondre à ses demandes. L'avocate mit fin à la discussion en ramenant Jasmine dans la salle d'audience.

Chapitre 11

On poursuivit le procès avec le docteur Brazeau et Maître Dufresne. Le docteur semblait être mal à l'aise devant les rougeurs qui marquaient le visage de Jasmine. Le malaise fut de courte durée, car déjà l'avocat poursuivait son interrogatoire.

- Docteur Brazeau, lors de votre intervention, nous disions que Madame Dubois avait eu une pénétration double, c'est bien ça ?

- Oui, c'est bien ça, approuva le médecin avec assurance.

- Comment en êtes-vous si certain ? Il pourrait s'agir d'un quelconque objet ?

- Non, Maître, un objet quelconque, comme vous

le mentionnez, ne laisse aucune trace de sperme.
L'avocat resta sans voix devant cette déclaration.
- Je n'ai pas d'autres questions, Votre Honneur.
- D'autres questions ? interrogea la juge en regardant l'avocate de Jasmine.
En guise de réponse, elle se leva et se plaça face à l'homme assis à la barre des témoins.
- Docteur, si vous avez trouvé des traces de sperme, c'est que vous avez effectué des analyses ?
- Oui, j'ai fait des analyses. Comme je l'ai déjà dit, je trouvais anormal qu'une personne puisse être si charcutée à la suite d'un fantasme sexuel.
- Votre Honneur, je vous remets le dossier médical en question ; Docteur Brazeau a complété celui-ci dans la nuit du douze mai. Docteur Brazeau, pourriez-vous nous dire s'il vous plaît, de qui provenait le sperme ?
- Objection, Votre Honneur, ceci est un secret professionnel ; on entre dans la vie privée des gens.
- C'est justement pour cette raison que nous sommes ici, Maître. Docteur Brazeau, répondez.
- À Messieurs Dubois et Savoie qui s'étaient présentés à l'hôpital précédemment pour des infections aux organes génitaux.
La salle se mit à murmurer et à fulminer.
La juge ordonna le silence.

- Votre Honneur, je n'ai pas d'autres questions, ajouta Maître Robillard.
La juge demanda à Maître Dufresne s'il voulait intervenir. Il déclina son offre et lança son crayon avec force sur son bureau.
- Messieurs et Mesdames les jurés, on se retrouve à quatorze heures pour le verdict.
Carl se leva et alla vers une Jasmine lasse, abattue qui semblait figée sur place.
Jacob, sur son banc, pleurait comme un enfant. Il n'avait ni le courage, ni la force de faire face à sa sœur. Il se maudissait d'agir ainsi. Il s'en voulait de ne pas avoir flairé les agissements de son beau-frère. Il était estomaqué par toutes ces déclarations. La jeune femme le vit se lever et passer près d'elle sans même la regarder.
- Où vas-tu, Jacob ?
- Je rentre à la maison, je suis fatigué. Jasmine, je serai là pour le verdict.
- Attends-moi, supplia la femme en panique, je vais avec toi.
- Jasmine..., il prit sa sœur par les épaules.
Elle put y lire du détachement, de l'abandon...
- Donne-moi un peu de temps, tu veux ? J'ai besoin d'assimiler tout ça et d'y réfléchir...
Carl jurait intérieurement en entendant les paroles

de Jacob. C'était aujourd'hui qu'elle avait besoin d'aide de sa part, et il la laissait à elle-même dans les bras d'un étranger.
- Vous voulez m'attendre quelques instants, Jasmine ? fit son médecin.
Elle acquiesça.
- Jacob ! - il rattrapa l'homme à la sortie de l'édifice - qu'est-ce qui te prend ? Tu laisses tomber ta sœur comme un rebut !
- Je sais, Carl, pourquoi ne m'avoir rien dit à moi, son frère ? J'aurais pu lui venir en aide.
- Elle te l'a expliqué : la peur, ce sentiment incontrôlable. Il ronge l'intérieur d'un être, le détruit et refait surface pour le détruire à nouveau. Elle a besoin d'aide pour se libérer de cette terrible maladie. La vie de son enfant ainsi que la sienne étaient en danger : pouvait-elle prendre ce risque ?
L'homme, au visage ravagé par le chagrin, serra l'épaule de Carl et partit en direction du palais de justice. Lorsque Jasmine leva son regard vers la grande porte, elle courut en direction de son frère qui, déjà, lui tendait les bras.
- Je t'aime, petite soeur et je comprends ton désarroi. Je te promets qu'aussi longtemps que je vivrai, plus personne ne posera la main sur toi.
- Oh ! Jacob, dit-elle émue. J'ai eu si peur de te

perdre, toi, mon grand frère, la seule personne au monde qui me reste avec mon enfant.

Carl regardait la scène de loin. Il était rassuré maintenant que Jacob avait compris combien sa soeur avait besoin de lui. Il sourit en les regardant passer près de lui et promit à Jasmine qu'il serait là, lui aussi, pour le jugement. Il retourna à son bureau, épuisé par les événements des jours passés. Sa secrétaire fut surprise de le voir arriver, car le médecin n'avait aucun rendez-vous ce jour-là. Elle le lui rappela.

- Je sais Angèle, je suis venu chercher une permission, fit l'homme, souriant. Que diriez-vous si je prenais deux semaines de vacances ?

- Vous en avez besoin, Monsieur, déclara la secrétaire en remarquant les traits tirés de son patron.

- Sortez-moi les dossiers des clients pour les deux prochaines semaines, je vais demander à Jean de les rencontrer durant mon absence. Ah ! oui... Angèle, je garde celui de ce soir avec Madame Dubois.

Carl se rendit à son bureau et appela immédiatement son confrère. Il accepta de lui rendre ce service. Il prit des nouvelles de sa future cliente qu'il n'avait pas encore eu le plaisir de rencontrer. Carl s'excusa

de l'avoir oublié ; il le mit au courant du déroulement du procès et de la décision à venir du jury pour le début d'après-midi.
Jasmine, de son côté, était heureuse de se retrouver avec sa petite Marie ; elle fit la promesse, à cet instant, de consacrer sa vie à cette enfant qu'elle aimait tant.
Le repas du midi fut plus gai que Jasmine l'aurait cru ; l'enfant espiègle, demandait toute l'attention des adultes.
- On s'en sortira, Jasmine, fit son frère, se sentant impliqué lui aussi dans ce drame.
Elle posa sa main sur la sienne avec chaleur. Jacob savait-il combien elle avait besoin de ces paroles en ce moment ?

Le quatuor avait repris place, chacun à son banc. La jeune femme était nerveuse, elle n'arrêtait pas de jouer avec ses mains, tel un enfant qui vient d'être puni pour une grosse bêtise. Les murmures dans la salle se turent lorsque la juge fit son entrée.
- Mesdames et Messieurs du jury, êtes-vous prêts à prononcer le jugement ?
- Oui, Votre Honneur.
- Je demande à l'accusé de se lever.
Richard se fit imposant ; il garda les épaules bien

droites et le regard tourné vers le jury.
- Nous, les membres du jury, déclarons Monsieur Dubois coupable au premier degré de voie de fait sur la personne de Madame Jasmine Dubois et Monsieur Armand Savoie, complice de voie de fait et viol sur la personne de Madame Jasmine Dubois.
La juge dut demander le silence à deux reprises. À l'énoncé du verdict, les membres de la famille qui étaient présents, criait victoire pour la jeune femme secouée par les larmes.
- Monsieur Richard Dubois devra purger une peine de dix ans de prison, avec libération conditionnelle la cinquième année de son incarcération. Monsieur Savoie purgera une peine de huit ans de prison avec libération dans quatre ans. Celui-ci devra aussi verser à Madame Dubois la somme de trois cent mille dollars en dommages et intérêts. Qu'on amène les détenus ! ordonna la juge en marquant la fin du procès avec son maillet.
- Tu es une salope ! cria un Richard hors de lui. Tu vas me le payer, je te tuerai !
Jasmine recula sous l'impact de ses mots. Les policiers avaient un mal fou à contenir le coupable tellement il était furieux. Jacob sauta par-dessus la petite barrière et alla vers Richard qui continuait à lancer des injures.

- Ne fais pas cela, Jacob, pria Carl en arrivant près de lui à toute vitesse.
- Je veux lui montrer, moi, lequel des deux mourra en premier, cria l'homme, défiguré par la rage.
- Laisse tomber, il a été reconnu coupable, il paiera pour ses fautes. Conserve plutôt ton énergie pour ta sœur. Regarde-la, elle... elle a vraiment besoin de toi.
Carl avait dit vrai : Jasmine était dans un état de fatigue et d'épuisement extrême. Elle pleurait, criait et tremblait de tous ses membres. L'avocate avait du mal à la contrôler.
- Calme-toi, Jasmine, murmura Jacob qui venait de la prendre dans ses bras.
Mais la femme n'écoutait plus ; les menaces de son mari ravivaient dans sa mémoire ce sentiment de crainte, de peur et de terreur qui l'obligea à se taire si longtemps. Carl, impuissant, sentit une main ferme sur son épaule.
- Cynthia....
Elle lui sourit tendrement et tourna son regard vers la femme en crise. Cynthia se dirigea vers Jasmine avec rapidité.
- Madame Dubois, dit le médecin avec douceur, je suis là pour vous soutenir et vous soulager si nécessaire.

Jasmine la suppliait de la libérer de cette peur qui la hantait. Cynthia ne mit que quelques secondes à injecter dans le bras de sa patiente le liquide qui la conduirait au sommeil.
- Carl, ordonna la femme médecin, qu'on emmène Jasmine chez elle. Elle dormira au moins douze heures avec ce que je lui ai administré.
Jacob prit sa sœur dans ses bras et se dirigea vers la sortie. Jasmine s'apaisait peu à peu... La crise se transforma en léger soubresauts.
- Je l'emmène à la maison, émit Jacob, et je te donnerai des nouvelles dans la soirée.
Jacob avait installé Jasmine sur le siège arrière, sa tête tomba mollement sur le dossier, indice de l'efficacité du médicament.
Le frère tendit la main à Cynthia en signe de reconnaissance. Elle confirma à Jacob une visite pour le soir même.
Carl et Cynthia, restés seuls dans le stationnement du Palais de Justice, regardèrent disparaître le véhicule.
- Tu es mon ange gardien, toi, avoua Carl en la prenant par les épaules.
- Enfin, tu apprécies ma présence, répliqua la femme en souriant. J'aurais aimé être là avant, mais j'ai été retenue à l'hôpital.

- L'important, c'est que tu aies été là au bon moment. Je crois que je n'ai plus de faux-fuyants ; si tu es libre, je t'emmène avec moi prendre un verre et ensuite, nous irons ailleurs.
- Tout un programme ! J'accepte avec grand plaisir.
Carl la serra dans ses bras et sentit à ce moment combien cette femme était importante pour lui.
Il aperçut maître Robillard qui sortait de l'édifice. Il s'obligea à lui tendre la main en signe de reconnaissance pour sa cliente.
- Merci Maître, dit l'homme avec sincérité. Vous avez bien mené votre plaidoyer.
- C'est à moi de vous remercier. Notre première rencontre n'a pas été sans heurts, mais par la suite vous m'avez été d'une grande utilité.
Carl sentait de l'insistance dans la poignée de main de l'avocate, la femme vint lui confirmer le soupçon en ajoutant d'une voix doucereuse :
- J'espère qu'on se reverra, Docteur Anctil.
Il ne répondit pas à sa requête, mais sentit le regard de l'avocate dans son dos.

Suzie attendait avec impatience le retour de son mari et de Jasmine. La petite Marie-Soleil était couchée : Suzie faisait les cent pas en les attendant, impatiente. Lorsqu'elle vit la voiture de Jacob entrer dans la

cour, elle courut à leur rencontre. Elle freina son élan quand elle vit son mari prendre sa belle-sœur dans ses bras et se diriger vers elle.
- Elle est inconsciente ? fit Suzie surprise.
- On lui a administré un calmant… elle a gagné le procès !
Suzie aurait dû s'en réjouir, mais elle voyait le visage de son mari qui laissait émerger la peine et la rage refoulées. Suzie aida Jacob à étendre Jasmine sur le lit. Il prit la main de sa femme et l'emmena avec lui dans leur chambre.
- Qu'est-ce qui se passe ? demanda la femme, inquiète.
- J'ai vécu une journée atroce ! Si tu savais tout ce qu'elle a dû supporter… je suis encore bouleversé par tout ce que j'ai entendu...
Et sans attendre que Suzie le lui demande, Jacob relata les souffrances que sa sœur avait dû endurer. Suzie avait peine à croire qu'un être humain puisse subir de telles atrocités.
- Comment peut-elle être encore en vie ?
La femme pleurait sur les abominations que Jasmine avait subies. Jacob la serra dans ses bras en lui disant que le courage et la volonté de sa sœur étaient la cause de sa survie. Sans cela, elle ne serait probablement plus avec eux.

Carl, de son côté, avait passé une magnifique soirée avec Cynthia. Ils avaient soupé au restaurant et s'étaient ensuite rendus au théâtre où l'on jouait une pièce dont l'action se déroulait dans un milieu bourgeois. À leur sortie, Cynthia avait proposé ouvertement à Carl de venir passer la nuit chez elle. Il avait accepté l'invitation. Revenu chez lui, il réfléchissait sur cette relation. Cynthia était devenue beaucoup plus qu'une amie. Il avait besoin de songer à tout cela et ses vacances tombaient pile : il pourrait partir loin d'elle et réfléchir.

Il attachait son bateau à sa remorque lorsqu'il entendit une sonnerie de l'intérieur.

- Docteur Anctil, fit la voix claire et mielleuse.
- Maître Robillard… articula le spécialiste, surpris.
- C'est bien moi, Docteur, vous pouvez m'appeler Carole, si vous le voulez. J'aimerais souper avec vous demain soir.

« Quel culot ! », pensa l'homme.

- Je regrette, mais je pars en vacances aujourd'hui même et ce, pour quinze jours.
- Alors, à votre retour peut-être...
- Non, je ne crois pas non plus.
- Dites-moi, vous partez seul en vacances ?
- Vous avez l'habitude de toujours poser les questions… Je regrette, mais je n'ai pas vraiment

de temps à vous consacrer, Maître.
- Je comprends, vous n'avez de temps que pour Madame Dubois…
- Ceci ne vous regarde en rien, prononça l'homme avec force en déposant le combiné.
Carl était renversé par le culot de l'avocate. Il n'aimait pas cette femme, mais pas du tout. Il pensa tout à coup à Jasmine qui lui avait parlé de faire appel à nouveau avec celle-ci pour son divorce. Il ne savait pas pourquoi, mais il pressentait que cette femme lui causerait des problèmes. Il sauta sur le combiné de nouveau et contacta Jacob.
- J'ai une recommandation à te faire avant mon départ ; je pense que ta sœur a choisi Maître Robillard pour son divorce…
- Oui, c'est exact, confirma le frère. Elle a bien travaillé pour le procès, alors Jasmine voudrait poursuivre avec elle les démarches de son divorce.
- Surveille bien ses faits et gestes, conseilla Carl, elle semble me reprocher la vigilance que j'ai accordé à Jasmine pendant la durée du procès. Elle pourrait se venger sur Jasmine qui est encore très vulnérable.
- Tu crois vraiment que Carole peut faire cela ?
- Oui, je le crois sincèrement, alors garde un œil ouvert, et le bon.

- Très bien. Au retour de tes vacances, tu devras m'expliquer plus clairement ce qui te fait croire que Carole peut être méchante. Je n'ai pas les mêmes doutes que toi.
Carl, téléphona à sa sœur Charlène pour lui annoncer sa visite dans les jours prochains.
Quant à Jasmine, elle réfléchissait, dans sa grande maison, à tout ce que la vie lui avait appris. Elle se demandait si, après son divorce, elle devrait vendre cette maison ou continuer à l'habiter.
Il lui semblait que les images de ces actes lugubres demeureraient toujours gravés dans sa mémoire, que chaque pièce de cette maison était une image, un cliché, une esquisse de sa misérable vie de femme battue et agressée. Elle pensa aussi à Carl, cet homme qui l'avait aidée à se libérer des mains de son agresseur.
Elle lui en serait reconnaissante toute sa vie, même si, au début, elle lui en voulait terriblement d'avoir porté plainte.
Jasmine était triste à l'idée que cet homme ne serait pas là les prochains jours, car elle aimait bien sa compagnie… sa franchise et sa façon bien à lui de prendre en main les difficultés de la vie.
La jeune femme sentait de nouveau cette maudite angoisse lui monter à la gorge et les palpitations

redoubler d'intensité. Ce serrement qui lui faisait craindre le pire. Elle essayait de reprendre contrôle en inspirant profondément comme le Docteur Gagnon lui avait enseigné. rien à faire : toujours cette détresse, ce désarroi, ce trouble qui saisissait son cœur et son âme.

La panique était sur le point d'envahir Jasmine. Elle massa légèrement sa gorge afin de stimuler le passage de l'air. Elle se leva rapidement et sortit à l'extérieur à la recherche d'air pur. Le gardien, s'approcha d'elle lorsqu'il s'aperçut qu'elle était indisposée.

- Vous avez besoin d'aide ? s'enquit l'homme.

- Appelez mon frère... réussit à dire Jasmine que l'étouffement gagnait de plus en plus.

Elle accrocha le bras du garde et le tira à l'intérieur, en état de panique avancé cette fois.

L'homme voyant la gravité du problème, contacta aussitôt Jacob.

Il n'y avait pas de réponse chez lui. Il se dirigea dans la chambre prendre l'enfant encore endormie, prit la main de Jasmine au passage et les entraîna toutes les deux dans la voiture afin de les conduire au centre hospitalier le plus près.

Jasmine crut mourir durant le trajet tellement elle avait de la difficulté à respirer. En pénétrant dans

la salle de l'urgence, la femme était toujours en état de panique.
Le médecin accourut prestement et amena Jasmine dans la salle d'examen. Le gardien, de son côté, avait réussi à joindre Jacob qui ne devait pas tarder à arriver.
La petite pleurait quand Jacob entra dans l'édifice. Il lui tendit les bras.
- Qu'est-ce qui s'est passé ? demanda le frangin, anxieux encore une fois.
Le gardien raconta que la jeune femme était en état de suffocation, et que la seule chose qu'il ait pensé faire fut de la conduire directement à l'hôpital.
Jacob attendait que le médecin soit en mesure de l'informer sur l'état de santé de sa sœur.
Après quelques minutes de patience, la docteure se présenta à lui.
- Docteure Gagnon ! reconnu Jacob en voyant la jeune femme venir vers lui. Quelle chance, vous étiez là !
- Bonjour, Monsieur Dufour. Je crois bien que votre sœur souffre d'une dépression profonde. Je vais lui prescrire des médicaments à prendre rigoureusement. Pour le moment, elle en a besoin pour sa survie.
- Je n'aurais pas dû la laisser seule chez elle.

- En effet, il aurait été préférable pour elle d'éviter la solitude. Dès que la médication aura agi, elle pourra réintégrer sa demeure... avec une aide occasionnelle.
- Je m'en occupe... Comment est-elle en ce moment ?
- Un peu endormie, mais elle va bien. Vous pouvez la ramener chez-vous ; elle dormira sûrement une bonne partie de la journée.
- Merci encore, Docteure, dit Jacob en lui tendant une main chaleureuse.
- Je ne fais que mon travail. Ayez-la à l'œil ; elle a besoin d'être entourée en ce moment. De petites vacances lui feraient sûrement grand bien.
Jacob alla vers la chambre de Jasmine et la trouva très abattue.
- Cette fois, tu ne discutes pas, fit le frère, et tu entres à la maison avec moi.
La femme était trop endormie pour répondre quoi que ce soit ; elle se laissa conduire machinalement par Jacob.

Les semaines s'écoulèrent lentement. Jasmine refaisait surface sans manifester grande énergie de se battre. Ce jour-là, elle reçut un appel de Maître Robillard qui voulait finaliser le dossier de son divorce. Elle accepta de se rendre chez-elle en après-

midi lui indiquant qu'elle amènerait sa petite Marie-Soleil qu'elle ne quittait plus d'une semelle.
Jacob voulait l'accompagner, mais il essuya un refus de la part de Jasmine qui prétextait être en parfaite condition. Que la présence de sa fille lui donnerait courage et réconfort.
Devant ces arguments, Jacob obtempéra encore une fois à sa décision.

Dans le bureau de l'avocate, Jasmine discutait avec Maître Robillard. Elle lui proposa de remettre la petite à son assistante et ainsi elle pourrait discuter plus à l'aise.
Jasmine jeta un œil à l'assistante ; elle semblait gentille, quoiqu'elle démontrait un léger manque de maturité. Toutefois, elle accepta en voyant le sourire que lui adressa la jeune femme.

Carl, de son côté, avait pris la route du Nouveau-Brunswick. Il avait prévenu sa sœur qu'il serait chez-elle, tard dans la nuit. La route avait été longue et fatiguante ; alors, en entrant chez Charlène, il discuta quelques minutes et se retira dans sa chambre. Ce n'est que le lendemain que le spécialiste raconta à sa sœur ce qu'il avait vécu ces dernières semaines. Il parla vaguement de Jasmine. Sa sœur, attentive à

son récit, se surprenait de voir son frère si touché par cette cliente.
- Elle va s'en sortir, tu crois ?
- Je ne sais pas ; elle était très dépressive lorsque je l'ai quittée, mais au moins, ce salaud est en prison…
- Ce salaud ! reprit sa sœur, étonnée par le langage de son frère. Tu ne prônes plus en faveur d'une deuxième chance ?
- Mais si… toutefois, je dois te dire que j'ai peine à croire que cet homme s'en sortira. Oublions cela, tu veux… Qu'est-ce que tu dirais si nous allions revoir notre maison familiale ? Est-ce toujours Monsieur Baster qui l'habite ?
- Oui, mais il a fait des rénovations depuis le temps, tu sais.
- J'imagine… On pourrait y aller cet après-midi ?
- Oui, j'ai envie, moi aussi, de renouer quelque peu avec notre enfance…

Jasmine discutait depuis un long moment avec l'avocate. Depuis si longtemps qu'elle en avait oublié Marie-Soleil. Elle se leva rapidement et lui demanda où était l'enfant.
- Attendez ici, je vais voir, répondit la femme avec un sourire narquois.

Jasmine tournait en rond dans la pièce depuis quelques minutes déjà. Elle décida d'aller voir elle-même. En sortant du bureau, elle eut juste le temps de voir l'assistante qui devait s'occuper de son enfant, s'infiltrer dans une voiture marron.
- Non ! cria la femme paniquée.
Elle entra en courant dans le bureau et appela aussitôt la police.
Jasmine était tellement excitée que l'agent, à l'autre bout du fil, n'y comprenait rien. Il lui demanda de se calmer et de répéter son histoire.
La jeune femme criait et pleurait. Pourquoi le mauvais sort s'acharnait-il sur elle une autre fois ? Elle expliqua brièvement au policier ce qui s'était passé, celui-ci lui demanda de ne pas bouger. Il serait là dans quelques minutes.

Entre temps, Jasmine voulut rejoindre son frère. Elle faillit s'effondrer quand la secrétaire lui dit qu'il n'était pas au bureau pour la journée. À toute vitesse, elle appela chez lui, mais c'était peine perdue : il n'y avait personne. Jasmine tomba morte de peur sur une chaise et pleura son impuissance. C'est ainsi que les policiers la retrouvèrent, quelques instants plus tard.

Jacob, de son côté, avait suivi Jasmine avec sa voiture. Les doutes du Docteur Anctil au sujet de l'avocate l'avaient inquiété au plus haut point. Il voulait prouver à celui-ci qu'il avait tort de la soupçonner. Maintenant qu'il était à la poursuite de la voiture marron, les incertitudes de Carl allaient-ils se concrétiser ?

Jacob avait stationné sa voiture sur une rue adjacente à celle du bureau de l'avocate. Il pouvait parfaitement voir sa sœur entrer et sortir du bureau. C'est à cet instant qu'il avait aperçu une femme vêtue de noir sortir de l'édifice avec Marie-Soleil dans les bras. L'absence de sa sœur avec cette inconnue l'avait inquiété... Il avait donc pris la décision de suivre ce véhicule.

Jasmine, de son coté essayait d'expliquer aux policiers que son enfant était victime d'un enlèvement, mais les agents ne semblaient pas la croire : on lui demandait simplement de venir porter plainte avec eux au poste de police. Elle refusait : elle ne voulait pas perdre son temps. Elle voulait qu'on poursuive la voiture qui gardait captive, son enfant.

Chapitre 12

Jacob roulait depuis une bonne demi-heure se demandant où cette aventure le mènerait. Il se maudissait intérieurement de n'avoir pas tenu compte des mises en garde de Carl.
La voiture marron emprunta une route de terre et s'enfonça en plein bois. L'homme le suivait de loin pour ne pas être repéré. Il aurait pu faire arrêter la voiture bien avant, mais il voulait connaître le but de cet enlèvement.
Celle-ci s'arrêta près d'un chalet situé en plein cœur de la forêt. Jacob fit de même et sortit se cacher près d'un gros sapin.
À sa grande surprise, il aperçut sa consoeur, Maître

Robillard, près de la porte d'entrée qui attendait les arrivants.
Téléphone cellulaire en main, Jacob contacta immédiatement les services policiers.
Pendant ce temps, il entendait les pleurs aigus de la pauvre petite qui se retrouvait en plein drame avec des inconnus.
Il était là, depuis presque une heure et s'impatientait du retard des policiers. L'avocate sortit de la maison en regardant de tous côtés afin d'être certaine de ne pas être vue.
Elle sauta dans sa voiture et prit la direction opposée à celle de Jacob.
L'homme décida d'aller affronter lui-même la « kidnappeuse ». Il contourna les buissons, sauta rapidement sur la véranda et, d'un seul coup de pied, défonça la porte d'entrée.
La femme à l'intérieur laissa échapper un cri d'effroi lorsqu'elle aperçut Jacob. Elle faillit laisser échapper Marie qu'elle tenait dans ses bras.
- Lâchez cette petite immédiatement ! ordonna l'homme en colère.
Sans réticence, la femme déposa la petite sur le fauteuil et s'en éloigna, les larmes aux yeux.
Jacob en profita pour prendre la petite immédiatement dans ses bras.

- C'est fini, mon amour... murmura l'oncle dont le cœur résonnait dans la poitrine.
L'enfant cessa aussitôt de pleurer et enfouit sa tête au creux de l'épaule de Jacob.
Il leva les yeux vers la pauvre femme qui venait de s'asseoir sur le divan et qui pleurait en silence.
- Pourquoi avez-vous fait cela ? demanda Jacob, hors de lui.
- On m'avait demandé d'amener l'enfant ici, car je devais la garder pour la journée. Je ne voulais pas lui faire de mal... insista la femme.
- Mais qui vous a demandé cela ? questionna Jacob.
- Madame Robillard. Elle est venue chez moi en matinée et m'a demandé si je voulais travailler pour elle ; elle réclamait un service de gardiennage. Comme j'étais compétente en la matière, elle m'a demandé de la dépanner. J'ai accepté. J'avais besoin d'argent et elle m'offrait cent dollars pour la journée.
- Vous connaissiez Maître Robillard auparavant ?
- Non, répondit spontanément la femme. Le Docteur Anctil lui avait donné mon nom. J'ai reçu des soins de ce médecin lors de la perte de mon enfant dans un accident de voiture.
Jacob s'aperçut très vite que cette femme n'était pas encore complètement remise de cette perte et

que Maître Robillard avait profité de sa vulnérabilité.
À ce moment, les pensées de Jacob furent interrompues par le bruit strident des voitures de police.
Il sortit à l'extérieur avec la petite dans les bras.
- Il me semble que la rapidité ne soit pas chose courante dans votre service... lança l'homme, écœuré.
- Pas facile de trouver le coin, répliqua un agent.
Jacob ne répondit pas à l'homme.
- À l'intérieur, il y a une pauvre femme ; elle est complice, mais on a profité d'elle. Elle est malade. La coupable est Maître Carole Robillard ; je l'ai vue quitter la maison et prendre cette direction il y a au moins quinze minutes.
- L'enfant n'a rien ? demanda une policière qui venait de s'approcher d'eux.
- Non, je ne crois pas. Je vais la rendre à sa mère immédiatement.
- Qui êtes-vous ? questionna l'agent.
- Je suis son oncle, Jacob Dufour. Un ami m'avait confié certains doutes à l'égard de Maître Robillard. J'ai suivi ma soeur à son rendez-vous et j'ai vite découvert le complot. C'est pourquoi je me trouvais sur les lieux de l'enlèvement.

La femme vérifia les papiers de Jacob : tout était en ordre. Il demanda alors à un agent d'escorter Monsieur Dufour jusque chez-lui.
- Monsieur Dufour, votre sœur est Jasmine Dubois ?
Jacob approuva.
- Elle est au poste de police en ce moment ; je vais demander une voiture pour qu'on la reconduise chez elle. On lui dira en même temps que la petite est saine et sauve.
- Merci, ajouta simplement l'homme.
La pauvre complice sortit de la maison, menottes aux mains. Elle pleurait et suppliait qu'on ne lui fasse aucun mal.
- Allez-y doucement, demanda Jacob au policier ; cette femme n'y est pour rien.
- On l'emmène au poste pour l'interroger, puis on va la relâcher, promit l'agent.
Jacob roulait sur le chemin du retour et était encore sous le choc du drame. Jamais il n'aurait pensé que Carole puisse être aussi menaçante. Il regardait la petite qui s'était endormie dans son siège, et remercia le ciel que rien ne lui soit arrivé.
Quand il arriva chez sa soeur, il y avait deux voitures de police. Dès qu'il arrêta le contact, Jasmine courut vers lui.
- Où est-elle ? Où est-elle ? questionna la femme en

larmes.
Jacob prit un instant pour la serrer dans ses bras et la rassurer sur l'état de sa nièce.
Jasmine enroula tendrement sa fille avec ses bras de maman.
- On ne voulait pas me croire ! dit une Jasmine hors d'elle. Si tu n'avais pas téléphoné à la police, on serait encore en pourparlers.
- C'est fini, maintenant. Allez, on entre à l'intérieur.
Les policiers procédèrent à une interrogation auprès de Jacob et ensuite, quittèrent les lieux.

Jacob expliqua à sa sœur que Maître Robillard était coupable de cet enlèvement, mais qu'on en ignorait la raison. Il se demandait encore pourquoi elle avait agi ainsi.
Il téléphona chez-lui pour aviser sa femme qu'il resterait avec Jasmine. Celle-ci proposa à son mari d'aller les rejoindre afin d'aider la pauvre femme dépressive à se reposer un peu.

Carole Robillard se trouvait dans un centre commercial quand elle vit arriver deux agents de police. Elle se faufilait entre deux rangées quand elle entendit un agent derrière elle l'interpeller.
- Maître Carole Robillard ? demanda le policier.

- Non, répondit aussitôt la femme, vous faites erreur.
- Je ne crois pas, réitéra le policier. Veuillez nous suivre si vous voulez éviter un scandale.
- Je vous dis que je ne suis pas Maître Robillard... Et au fait, avez-vous un mandat ?
Le policier sortit de sa poche le mandat d'arrestation et le tendit à la femme.
- Je vous arrête pour avoir kidnappé un enfant.
- Vous êtes fou ! fulmina la femme devenue hystérique, j'ai passé l'après-midi ici.
- Que faites-vous avec des biberons et des couches ? demanda le policier, stoïque.
- Je fais des emplettes pour une amie, mentit la femme.
- Cessez de discuter. Ou vous venez de votre plein gré, ou on le fait de force.
- Je veux un avocat, cria la femme à tue-tête. Cesser de parler pour ne rien dire, je connais mes droits !
- Je n'en doute pas, rétorqua l'agent.

Jacob, de son côté, avait reçu un appel de la Sûreté du Québec l'avisant qu'on avait arrêté l'avocate en question. Le policier demanda à Jacob comment rejoindre le docteur Carl Anctil : il avait plusieurs questions à lui poser.
Jacob leur dit qu'il s'informerait et il en aviserait

immédiatement les autorités.

Jasmine se reposait maintenant dans sa chambre. Jacob avait fait prendre des médicaments à sa pauvre sœur qui avait dû, à nouveau, revivre un drame.
- Elle n'arrivera jamais à s'en sortir, dit l'homme à haute voix.
Il laissa sa femme avec Jasmine et alla chez-lui à la recherche du numéro que Carl lui avait laissé avant son départ.
Il n'hésita pas à composer le numéro.
- Puis-je parler à Carl, s'il vous plaît ? demanda Jacob à la douce voix féminine qui lui répondit.
Carl, étendu sur le divan du salon, pensait à sa visite à la maison paternelle.
- Carl, c'est pour toi, fit Charlène.
Il prit l'appareil, surpris.
- Carl… c'est Jacob, il vient de se produire un événement tragique.
- Explique, dit l'homme anxieux à l'autre bout du fil.
- On avait enlevé Marie-Soleil, mais tout est terminé. Elle est de nouveau à la maison.
- Maître Robillard ? dit aussitôt Carl, certain de la réponse de Jacob.
- Oui, c'est bien elle.

Jacob relata les grandes lignes du drame et l'avisa de la requête des policiers.
- Je me mets en route aujourd'hui ; je serai dans la région demain soir, au plus tard, confirma le spécialiste.
Carl n'était pas du tout surpris des manigances de l'avocate. Mais... qu'elle se soit servie de sa cliente, le dépassait.
Il annonça son départ à sa sœur pour l'après-midi même. Elle était déçue, mais elle savait que Carl ne renoncerait pas à s'occuper de ce cas. Il prit le chemin du retour en fin d'après-midi. Il avait prévu une halte dans le coin de St-Siméon pour y passer la nuit.

Jasmine était dans son lit et ne dormait pas. Elle pensait à tout ce qui s'était produit durant la journée. Elle essuya une larme qui glissait le long de sa joue. Jamais elle n'aurait pu croire que Maître Robillard fut capable de tant de méchanceté. Pourquoi lui voulait-elle du mal ? Et surtout, pourquoi s'en prendre à Marie ? Jasmine avait un affreux mal de tête. Elle se leva et se dirigea vers la pharmacie de la salle de bain. En prenant le contenant de médicaments, elle vit apparaître Jacob dans le miroir de la commode.

- Qu'est-ce que tu fais ? demanda l'homme, un peu endormi.
- Je prends un comprimé, j'ai un affreux mal de tête.
Il lui enleva la bouteille et lui-même donna la dose recommandée.
- Tu n'as plus confiance, c'est ça ?
- Je te sais dans une mauvaise passe, alors je veille sur toi, et ça me fait plaisir de le faire. Ce n'est pas une question de confiance.
Elle le laissa dans la salle de bain et retourna vers sa chambre.
Il réapparut près de son lit et lui prit la main.
- Je sais que tu te poses des tonnes de questions, et moi aussi, je dois te l'avouer. Je n'arrive pas à voir le jour où, tout redeviendra calme et paisible. La vie n'est pas facile avec nous par les temps qui court. Pourtant, je me sens confiant que bientôt la paix va revenir. Nous saurons sûrement demain ce qui a pu se passer dans la tête de Carole. Alors, repose-toi pour le moment, tu as besoin de sommeil et moi aussi.
Elle consentit à le faire ; déjà, elle sentait une lourdeur sur ses paupières. Elle entendit faiblement ce que son frère ajouta.
- N'oublie jamais que je t'aime et que je ne te laisserai pas tomber.
Et ce fut le néant, la noirceur profonde. Celle que

l'on retrouve dans un autre monde, de rêve et d'indifférence.

Carl, dans un restaurant de la région de St-Siméon, consulta sa montre : six heures. Il paya sa note et sauta dans son véhicule afin de terminer sa longue randonnée.
Au volant de son véhicule, il cherchait les motifs qui avaient poussé l'avocate à agir ainsi. Il pensa aussi à cette pauvre Madame Beaulieu ; cette femme n'aurait fait aucun mal à la petite, il en était persuadé. Par quelle ruse Carole Robillard avait-elle pu la convaincre de kidnapper l'enfant de Jasmine ? Il avait hâte d'être sur les lieux afin de voir clair dans cette histoire.
Les policiers avaient rendu visite à nouveau à Jasmine. Ils ne pouvaient poursuivre leur enquête tant qu'ils n'auraient pas parlé au Docteur Anctil qui, semble-t-il, était impliqué de près dans les actes commis par Maître Robillard.
Jacob les avisa qu'il serait de retour le jour même, et qu'il entrerait en contact avec eux aussitôt.
Depuis ces événements, Jasmine était redevenue une femme muette, taciturne et refermée sur elle-même. Elle semblait s'être parée d'un écran de protection, d'une armure. Elle semblait se débattre

avec toutes les images méchantes et lamentables de sa terrible vie. Jasmine avait choisi maintenant de se faire prisonnière dans son propre corps, dans son esprit. Ainsi pensa-t-elle, plus jamais personne ne pourrait l'atteindre, la blesser.

Lorsque Jasmine ne pensait plus à rien, elle arrivait même à en oublier Richard, celui qui l'avait si souvent manipulée, maniée à sa guise. Elle fredonnait des airs dans sa tête afin que ne remontent jamais à la surface ces pénibles moments de cruauté qu'elle a eus si souvent à vivre.

Jacob lui parlait, mais Jasmine ne lui répondait que par bribes, sans élaborer. Elle était indifférente envers son enfant. Elle était seule dans ce petit monde qu'elle s'était forgé... Elle souhaitait ne plus être touchée, troublée, anéantie par les personnages extérieurs qui défilaient devant elle.

Jacob implora de nouveau le ciel afin que Carl lui ait dit vrai et qu'il arriverait d'un moment à l'autre. Il lui semblait que le médecin était le seul à pouvoir sortir sa sœur de sa torpeur.

Chapitre 13

Carl avait fait un second arrêt dans la région de Trois-Rivières, maintenant, il arrivait au poste de police.
Le sergent le remercia de s'être présenté lui-même. Il le fit pénétrer dans le bureau afin de répondre aux questions laissées en suspens par son absence. Le médecin était renversé d'entendre tout ce qui se disait sur lui. L'avocate avait déclaré être sortie avec lui à plusieurs occasions, mais, qu'il l'avait quittée pour se lier avec sa cliente, Madame Jasmine Dubois. Elle disait aussi que ça lui avait été facile de rencontrer Madame Beaulieu puisque le docteur lui parlait souvent de ses clientes.

Carl nia tout et donna sa version des faits. Les policiers prirent sa déposition et lui demandèrent de ne pas quitter la région avant qu'ils en aient terminé avec l'accusée. L'homme accepta de bonne grâce ces conditions et alla directement chez Jasmine.

Quand Jacob entendit le tintement de la sonnette d'entrée, il se rua sur la porte.

- Te voilà enfin ! dit l'ami, heureux de le savoir revenu.

- J'avais une longue route à faire ; je dois te dire que le chemin m'a semblé encore plus long que d'habitude.

- Il faut que tu te présentes au poste de police…

- J'y arrive, coupa Carl en apercevant Jasmine qui semblait perdue dans ses rêves.

Jacob suivit son regard.

- Elle est ainsi depuis ce matin ; elle ne parle pas, ne réagit pas… et elle nous évite, tous.

- Elle a décidé de se refermer sur elle-même, constata le médecin.

- C'est aussi ce que je crois. Peut-être qu'à toi, elle voudra bien s'ouvrir.

Carl se dirigea lentement vers elle et vint prendre sa main dans la sienne.

- Bonjour, Jasmine…

Ses yeux qui fixaient le néant se tournèrent vers l'homme devant elle.
Dans sa tête se bousculaient des voix, des paroles, des scènes qu'elle avait connues et qui refaisaient surface.
Richard tempêtait, il revenait de travailler ce vendredi soir de juillet. Il faisait une chaleur étouffante et Jasmine avait enfilé un maillot deux pièces.
- Que fais-tu vêtue comme ça ? critiqua l'homme légèrement éméché.
- J'avais chaud, alors j'ai enfilé un maillot.
Avant qu'elle n'ait pu terminer sa phrase, l'homme venait déjà de la frapper durement dans le dos et elle se retrouva face contre sol sentant une douleur vive.
- Va te vêtir correctement, petite traînée.

Jasmine se voyait encore ramper jusqu'à sa chambre. Ses mains tremblaient lorsqu'elle défit le petit œillet qui retenait son maillot. Les larmes coulaient en abondance sur son visage et elle ne pensait qu'à une chose : qu'il s'endorme au plus vite afin d'être libérée de ce truand. Mais, tout cela aurait été bien trop simple et le personnage ingrat refit surface près d'elle.

- Tu les as montrés à qui aujourd'hui petite salope, cria l'homme en lui empoignant un sein qu'il serra avec force.
Jasmine essaya de reculer afin que cesse cette douleur extrême. Mais non ! il lui saisit le second à pleines mains et la lança sur le lit.
- Non... cria-t-elle. Laisse-moi tranquille. Tu me fais mal.
Richard était plus fort qu'elle. Elle dût encore une fois laisser son corps entre les mains de ce violeur sans remords ni scrupules.
Jasmine ferma les yeux quelques secondes et lorsqu'elle les ouvrit, elle vit devant elle le visage de son spécialiste.
« Aidez-moi », furent les mots à peine audibles qu'elle prononça.
- Je le ferai, dit le médecin, mais vous devez me dire ce qui vous amène à ce terrible mutisme.
- On veut me voir morte, on abuse de moi. On a voulu tuer mon enfant, me l'enlever à jamais, comme si je n'étais pas digne d'être mère.

Carl était surpris de voir avec quel flegme la femme avait réussi à lui dire tout cela. Ce n'était pas la Jasmine qu'il connaissait ; celle qu'il avait quittée voulait se battre contre tous les mauvais cotés que

la vie lui présentait.
- Aidez-moi... répéta la femme.
Carl sentit une forte pression dans sa main. Son corps voulait à nouveau se défendre, mais sa tête n'arrivait plus à différencier le bien du mal.
- Je vais le faire, Jasmine. Je vais vous venir en aide, promit le médecin, surpris de voir combien la jeune femme avait dépéri depuis son départ.
Carl leva les yeux vers Jacob et avoua avec tristesse :
- Je pense que Jasmine a besoin d'être hospitalisée.
- Tu veux dire : dans un centre psychiatrique ? interrogea le frère dont les yeux sortaient de leur orbite.
Carl fit simplement un signe d'approbation.
- Tu la crois si atteinte que cela ?
- Je pense qu'elle a besoin de soins, c'est tout. Je pourrais la rencontrer au centre à chaque semaine pour continuer les traitements.
Carl regardait Jacob qui pleurait en silence : la pâleur de son visage prouvait à quel point l'homme était dépassé lui aussi par les événements.
- Remettons cela à demain, tu veux ? suggéra le médecin en tapotant amicalement l'épaule de Jacob. Promets-moi de ne pas la laisser seule d'ici là. Je t'envoie en soirée Docteure Gagnon pour qu'elle examine Jasmine. Elle te donnera son opinion sur

sa santé morale.
- Je ne sais plus que faire, avoua l'homme, conscient de son impuissance.
- Tu agis correctement pour l'instant. Elle a besoin de vous tous et vous êtes là. Alors, cesse de te culpabiliser et patiente jusqu'à ce soir.
Jacob remercia le spécialiste et retourna près de sa sœur qui semblait ne pas s'être rendu compte de la visite de Carl.

Dans la soirée, Jacob reçut comme prévue la visite du Docteure Gagnon, rencontrée auparavant.
- Docteure Gagnon ! fit l'homme, heureux.
- Bonjour, appelez-moi Cynthia, rectifia la doctoresse. Comment est Jasmine ?
- Toujours aussi troublée. Elle refuse de sortir de son silence.
- C'est normal, en état d'aphasie, la personne ne ressent plus rien ; elle laisse la vie décider pour elle. Elle érige dans leur tête, une sorte de barrière afin de ne plus être atteint de l'extérieur.
Le médecin s'approcha de Jasmine et toucha son épaule.
- Jasmine, dit-elle doucement.
La femme ne broncha pas.
Cynthia alla se placer face à elle et la fixa

longuement. Elle observait Jasmine depuis un moment et celle-ci n'avait eu aucune réaction.
- Je crois qu'on va devoir la transférer dans une clinique.
À ces paroles, Jacob se crispa...
- Soyez sans crainte, ajouta la femme en voyant les remords assombrir le visage de l'homme, c'est mon propre institut pour personnes atteintes psychologiquement. Votre sœur n'est pas folle, loin de là, mais elle a besoin de soins avant de le devenir.
- Vous croyez qu'elle va s'en sortir ?
- Bien sûr, elle est seulement en état de choc, et pour cause ! Carl m'a raconté l'enlèvement de son enfant. Votre pauvre sœur est forte je dois l'admettre. Je ne connais pas beaucoup de personnes qui auraient survécu à tout cela. D'ici deux ou trois jours, elle ira beaucoup mieux.
- Je vous fais confiance, Docteure, même si cela me déchire atrocement.
- Vous savez, Monsieur Dufour, c'est toujours plus difficile pour l'entourage que pour la malade elle-même. La déchirure que cela occasionne à la famille est très pénible. Je vous trouve bien courageux et c'est la raison pour laquelle je vous dis que votre sœur s'en sortira. L'amour de ses proches redonnera à Jasmine le goût de recommencer à nouveau.

Après ces encouragements, Jacob prit son rôle de grand frère en main. Il expliqua à Jasmine qu'il la conduisait dans un hôpital afin qu'elle reçoive des soins et que, d'ici quelques jours, elle serait de retour à la maison.
La femme n'avait pas réagi à ce que Jacob venait de lui dire. Elle se laissa guider sans contredire qui que ce soit. Quand Jacob quitta l'institut, tard dans la soirée, il se laissa aller à son immense chagrin. Les larmes ruisselaient en abondance sur son visage déformé. Il décida, malgré l'heure tardive, d'aller confier son désarroi à Carl.
Celui-ci n'était pas encore couché quand il entendit les coups frappés dans la porte d'entrée.
Lorsqu'il ouvrit, il vit devant lui un homme abattu, flapi, découragé devant l'inévitable. Il l'introduisit dans la maison et, sans aucun scrupule, il serra dans ses bras l'homme qui ne cessait de répéter qu'il avait failli à ses devoirs de frère.
Carl passa une bonne partie de la nuit à discuter avec le malheureux, lui répétant qu'il avait prit la bonne décision, et que Jasmine l'en remercierait dans le futur.
Quand Jacob quitta le médecin aux petites heures du matin, il semblait en meilleur état qu'à son arrivée. Il avait repris confiance en lui et était

déterminé à sortir sa sœur de cette ornière qui n'en finissait plus.

Jasmine revenait d'un autre monde : son dernier souvenir était la conversation qu'elle avait eu avec son frère la journée de l'enlèvement de sa fille.
À son réveil, le lendemain, elle se demandait où elle se trouvait. Le décor de sa chambre ne lui était pas familier. La porte s'ouvrit en laissant pénétrer une femme d'âge mûr.
- Où suis-je ? fut sa première question.
- À l'institut, répondit la femme, souriante.
- Quel institut ? questionna de nouveau Jasmine.
- Attendez-moi ici, je vais chercher le docteure.
Jasmine la regarda quitter la pièce et sentit la panique lui serrer les entrailles.
Lorsque la porte de la chambre s'ouvrit de nouveau, cette fois-ci, elle reconnut la femme.
- Docteure Gagnon ! dit aussitôt la malade, heureuse enfin de voir une connaissance.
- Bonjour, Jasmine, comment vous sentez-vous ce matin ?
- Où suis-je, Docteure ?
- À l'hôpital. Je vous ai rendu visite hier soir et vous étiez dans un état que je qualifierais d'assez précaire.

- Vous êtes venue chez-moi hier ? reprit la femme, surprise.
- Oui, le Docteur Anctil aussi.
Jasmine se souvint vaguement avoir aperçu le visage de Carl, mais elle ne se souvenait plus à quel moment.
- Je suis dans un institut psychiatrique, c'est bien cela ? interrogea Jasmine.
- Oui, vous avez besoin d'aide et je vous promets de vous remettre sur pied d'ici quelques jours.
- Ai-je encore tenté de me suicider ?
- Non, pas cette fois, vous sembliez juste un peu perdue dans vos pensées. Je suis contente de voir que vous allez beaucoup mieux.
Tout à coup lui revinrent en mémoire les événements passés.
- Où est ma fille ? cria la femme en état de panique.
- Ne vous inquiétez pas ; elle est avec votre frère et elle va bien.
Jasmine se laissa tomber durement sur son oreiller et cria son désespoir.
- Qu'est-ce que je vais devenir, Docteure, dites-le-moi !
- Vous devez premièrement penser à vous et vous soigner ; ensuite, nous verrons. Ce qui est le plus important en ce moment, c'est de vous remonter un peu afin de pouvoir reprendre une vie normale.

- Vous pensez que cela va m'arriver un jour ?
- Oui, j'en suis certaine, et la fin de votre misère est très proche. Maintenant, je dois faire des examens, si vous me le permettez.
La jeune femme obtempéra et se laissa examiner docilement.
- Chaque fois qu'une infirmière viendra vous porter des médicaments, vous devrez les prendre Jasmine et ce, sans critiquer, d'accord ?
- Je devrai vivre toute ma vie avec des médicaments si je veux m'en sortir ?
- Pas du tout, c'est seulement une question de temps. Maintenant, reposez-vous. Ici Jasmine, vous n'êtes pas en prison. Vous pouvez circuler comme bon vous semble sans toutefois déranger les autres patients. N'hésitez pas à vous immiscer dans les rencontres qu'ils tiennent tous les après-midi dans la grande salle. Vous verrez qu'ils ont réussi à partager leurs peurs et surtout leurs grandes douleurs.
Jasmine se sentit rassurée. Elle absorba le remède que lui donna le médecin et sombra presque aussitôt dans un sommeil doux et reposant.
Jacob rendait visite à sa soeur tous les jours. La femme faisait de grands progrès.
Jasmine était là depuis maintenant une semaine. Elle était allée à deux reprises rencontrer quelques

femmes du centre. La phobie d'être encore jugée par les autres la faisait se taire sur ses propres sévices
Cynthia lui avait rendu visite le matin ; elle lui annonça avec un sourire resplendissant :
- Je vous donne congé aujourd'hui, Jasmine. Mais vous devez prendre vos médicaments et continuer vos visites chez le Docteur Anctil.
Jasmine était prête à tout pour quitter cette chambre. Non pas qu'elle s'y sentit mal, mais elle avait très hâte de retrouver sa demeure, à elle, ainsi que son enfant qui lui manquait tant.

Chapitre 14

Les jours d'octobre arrivèrent rapidement. La noirceur qui se présentait tôt n'arrivait pas à assombrir la vie de Jasmine. Elle était sortie de la clinique depuis un mois et avait repris goût à la vie. Deux fois par semaine, elle rencontrait le Docteur Anctil, cet homme qui lui avait été d'un précieux secours et qui continuait de l'encourager. En ce matin d'octobre, elle décida qu'elle en avait assez de ces médicaments alors, elle lança tout à la poubelle. Elle se savait forte maintenant et elle ferait face à la vie. Jasmine eut un peu de difficulté à dormir durant les jours qui suivirent. Après une semaine sans médication, elle se trouva à nouveau ragaillardie.

Sa vie semblait reprendre place et le soleil luisait à nouveau dans son cœur de femme meurtrie.
Chaque soir, son frère lui rendait visite avant de rentrer chez-lui. Jacob était content de retrouver Jasmine avec sa bonne humeur et sa joie de vivre comme autrefois.

Un soir qu'elle était assise devant son téléviseur, elle fut dérangée par la sonnerie du téléphone.
- Madame Dubois… fit la voix à l'autre bout du fil.
Jasmine se crispa. Depuis si longtemps qu'on ne l'avait appelée ainsi…
- Qui est à l'appareil ?
- La femme de Monsieur Savoie, celui qui a été incarcéré par votre faute.
Jasmine crut que le sol allait s'ouvrir sous ses pieds.
- Vous paierez pour cela, salope ! Mon mari a été accusé à tort à cause de vous, injuria la femme avant de raccrocher.
Jasmine coupa la ligne aussitôt et mit les mains sur son visage afin d'étouffer ses cris.
- Oh, non ! pas encore…
Elle retourna, chancelante, dans le salon et tomba sur le premier siège qui s'offrait à elle. Jasmine ferma les yeux pour effacer de ses pensées ce terrible appel. Elle venait à peine de sortir de

l'enlèvement de sa fille qui avait fait condamner Maître Robillard. L'avocate avait avoué qu'elle était amoureuse du Docteur Anctil et que, lui, était indifférent à son amour. Alors, elle avait comploté d'enlever l'enfant de sa cliente, sachant que cela le toucherait grandement. La femme avait cru qu'il existait entre Jasmine et Carl une relation amoureuse et que celui-ci ne serait pas indifférent à cet enlèvement. Elle fut incarcérée pour trois ans. Et voilà qu'on la rendait responsable d'avoir fait emprisonner le patron de son mari.

Le téléphone sonna de nouveau, mais cette fois, elle ne répondit pas. Elle avait trop peur d'entendre encore cette voix malsaine l'insulter et la menacer.

Peu de temps après la sonnerie du téléphone, elle vit apparaître Jacob. Il semblait très inquiet.
- Que fais-tu ? Tu ne réponds pas au téléphone ?
Il arrêta aussitôt quand il vit les yeux rougis de Jasmine. La femme, avec un contrôle qui la surprit elle-même, lui expliqua la cause de ses yeux tristes.
- J'en ai assez, dit Jasmine en crise. Je veux quitter cet endroit, vendre la maison et partir.
- Calme-toi, répliqua son frère, découragé lui aussi. Je vais faire surveiller ta ligne téléphonique pour

un certain temps. On verra bien si cette personne va récidiver.

- Et recommencer encore à me pourchasser ? On va attendre que je sois encore internée ! cria Jasmine, à bout de patience.

- Je reste avec toi ce soir. Viens t'étendre et je m'occupe de Marie.

- Tu as autre chose à faire que de t'occuper de moi toute ta vie ! Je veux déménager, tu comprends ? Je veux quitter les lieux de cette demeure maudite.

- Où sont tes médicaments ? demanda Jacob en voyant la femme névrosée.

- Je n'en ai pas besoin ; je dois cesser de faire l'autruche, et faire face à la réalité.

- Tu avais promis de continuer à les prendre... qu'est-ce que tu en as fait ?

- Je les ai jetés, il ne me serve plus à rien.

- Tu n'es pas raisonnable, soeurette, tu sais que tu en as besoin, et c'est à long terme que tu dois t'en défaire, pas du jour au lendemain.

- J'en ai plus qu'assez, c'est fini, dit-elle, au bord de l'épuisement, je ne me bats plus ! S'ils veulent ma peau, eh bien, qu'ils la prennent !

- Arrête de parler ainsi ! cria l'homme, hors de lui. Tu ne baisseras pas les bras encore une fois, alors que tu étais presque sur le point de réussir.

- Si, je suis détruite. Ils auront réussi à m'avoir, je n'ai même plus le courage de me battre.
Jacob alla vers elle et la serra dans ses bras.
- Je suis avec toi, Jasmine, je ne te laisserai pas faire.

Jasmine ne pleurait même pas ; elle était dépassée par les événements qui entravaient encore sa route. Elle relâcha son étreinte et se rendit dans la salle de bain. Jacob, entre temps, avisa sa femme qu'il n'entrerait pas cette nuit. Il en profita aussi pour téléphoner au Docteure Gagnon qui l'assura de sa présence d'ici quelques minutes.
Jasmine n'avait plus les capacités de se battre ; même si elle le voulait, elle ne le pouvait pas. Alors, avec un sang froid alarmant, elle prit la lame d'un rasoir et, sans prendre le temps de penser aux conséquences, elle se trancha les veines du poignet droit.
C'est lorsque Jacob entendit un bruit dans la pièce qu'il se rua vers la salle de bain et retrouva sa sœur étendue à même le sol, reposant dans une marre de sang.
Il cria sa douleur, pleurait, ne savait plus que faire. Il sauta sur le téléphone et l'éternel scénario recommençait.

Cynthia avait frappée à la porte plusieurs fois, personne n'était venu lui ouvrir. Elle s'aventura à sonder la porte qui s'ouvrit d'une légère pression.
- Monsieur Dufour ! cria la femme.
- Entrez vite, Docteure Gagnon, ma sœur a tenté de se suicider !
Le médecin se rua à l'intérieur et constata les dégâts sur le corps de la femme.
- Appelez une ambulance, vite !
- J'ai déjà téléphoné ; faites quelque chose, Docteure, elle va mourir au bout de son sang, hurla Jacob en état de grande panique.
La femme fit un garrot à la hauteur du poignet en attente du service ambulancier. Elle vérifia par le fait même si les ligaments avaient été sectionnés. Par chance, tout semblait intact. L'ambulance arriva rapidement et la jeune femme fut conduite au centre hospitalier.
Jacob était à nouveau confronté à l'attente des salles d'urgence. Il fut très content de voir apparaître Carl devant lui.
- Comment as-tu su ?
- Le Docteure Gagnon vient à peine de m'en aviser. Tu as eu des nouvelles ?
- Non, pas encore, c'est comme un purgatoire ici.
- Je vais voir et je te reviens.

À peine quelques minutes plus tard, il était de retour.
- Elle va s'en tirer, c'est superficiel. On lui fait des points de suture. Comment se fait-il qu'elle ait sombré si rapidement ?
Jacob lui expliqua le coup de fil et la révolte qui s'en suivit.
- As-tu avisé les autorités ?
- Oui, j'ai même demandé qu'on surveille la ligne téléphonique dès ce soir.
- On veut sa peau, il me semble, confirma le spécialiste.
- Si ça continue, ils vont réussir et ils auront la mienne aussi !
Ils virent Cynthia se diriger vers eux.
- On la garde pour la nuit afin que les médicaments refassent leur effet. Dites-moi, Jacob, Jasmine avait-elle oublié de prendre ses médicaments depuis quelques jours ? Je ne détecte aucune morphine dans son sang.
- Elle avait décidé de tout jeter à la poubelle depuis deux semaines. Elle m'a avoué cela ce soir.
- Ceci n'a pas aidé du tout. Elle aurait pu faire face à cette menace avec les médicaments. Mais ne ressassons pas le passé ; ce qui est fait est fait. Cette fois-ci, elle récupérera plus vite, alors, plus question de la laisser seule à la maison maintenant.

Jacob se sentait réprimandé. Il faisait bien tout ce qu'il pouvait, il lui était impossible de surveiller sa sœur vingt-quatre heures par jour.
- J'essaierai de trouver quelqu'un, Docteure.
- Jacob, dit la doctoresse en mettant une main sur la sienne, je sais que vous donnez tout ce que vous pouvez, je ne vous fais aucun reproche, mais pour l'instant, elle a besoin de quelqu'un avec elle continuellement. Vous savez Jacob, c'est un frère comme vous que toutes les femmes battues devraient avoir près d'elle. Vous êtes d'une bonté et d'une patience sans borne.
- Merci, Docteure. Jasmine en ferait tout autant pour moi. Soyez sans crainte, je vais voir à ce que maintenant elle ait quelqu'un avec elle tous les jours.

Dès son réveil, le lendemain, Jasmine savait cette fois qu'elle avait commis l'irréparable. Elle se demandait où en était sa force, son courage. Elle avait attenté à ses jours, car elle ne voulait plus faire face à cette chienne de réalité, celle qui la hantait tout le temps, celle qui lui gobait le reste de son énergie. Quand elle vit entrer le Docteure Gagnon, elle faillit mettre les couvertures sur sa tête afin de cacher sa honte.
- Je sais, Docteure, avoua la suicidaire avant que

celle-ci n'ait ouvert la bouche, j'ai été lâche, je me suis dégonflée.

- Que de vilains mots dans votre bouche, chère Jasmine. Moi, je crois que c'est une autre défaillance de votre système nerveux.

- C'est ce que je disais, mais dans mes mots.

Les deux femmes sourirent simultanément.

- Je vous donne raison. Alors, on reprend l'ordonnance et, cette fois, vous ne jetez rien à la poubelle avant de m'en aviser.

Jasmine promit de suivre ces instructions à la lettre. Elle avait tellement envie de retrouver le bonheur qu'elle avait commencé à goûter plus tôt.

Elle se rendit chez-elle où l'attendait une femme d'un certain âge qui avait pour tâche d'être à ses côtés nuit et jour. La malade se plaisait en sa compagnie. Elle était douce et aimable, elle ressemblait à sa propre mère.

Jasmine se sentait mieux, mais chaque fois que le téléphone sonnait, tout son corps frémissait. Elle n'a jamais reçu d'autres appels. Elle apprit plus tard, que la femme en question avait été arrêtée pour harcèlement.

Chapitre 15

La première neige arriva. Jasmine vêtue d'un habit chaud et douillet s'amusait dans cette neige toute blanche avec sa petite Marie-Soleil. Elle leva la tête quand elle vit arriver l'automobile de son frère.
- Acob… balbutia l'enfant en pointant du doigt son oncle qui venait vers eux.
Il prit la petite dans ses bras et la serra très fort, comme pour lui transmettre tout son amour.
- Que se passe-t-il ? demanda Jasmine en voyant le regard lugubre de son frère.
- J'ai à te parler, annonça celui-ci avec un sérieux méconnaissable.
Elle entra la petite à l'intérieur de la maison et vint

rejoindre Jacob qui l'avait attendu près de sa voiture.
- Tu sais que j'aime Marie comme ma propre fille et que…
- Jacob, laisse tes sentiments pour le moment et viens-en aux faits. Qu'as-tu à me dire ?
- J'ai de mauvaises nouvelles.
- Alors quoi ? Je ne peux croire qu'il existe quelque chose de pire que ce que j'ai vécu.
- Ce matin, on a retrouvé Richard pendu dans sa cellule.
La femme avait porté la main à sa bouche et recula d'un pas.
- Quoi ?
- Oui, on vient de m'en avisé à l'instant. Ce serait arrivé cette nuit, paraît-il.
- Cette crapule aura péri comme il a vécu, fit la femme après avoir repris ses esprits.
- Je suis content que tu prennes cela ainsi ; je croyais que tu serais bouleversée.
- Tu veux rire ! Cet homme a été un monstre, un goujat ! Il a rendu ma vie infernale. Tu crois que je vais pleurer sa mort ? Jamais, tu m'entends, jamais !
- Alors, n'en parlons plus. Dorénavant, il ne fera plus partie de notre vie.
- Tu crois que je devrais en parler maintenant, à Marie ? s'inquiéta la femme qui réalisait que

Richard est et sera toujours le père se son enfant.
- Non, je ne crois pas. Si plus tard, elle pose des questions à son sujet, tu pourras alors lui dire ce que tu voudras… Elle est trop petite pour l'instant, elle ne comprendrait pas.
Jasmine approuva les paroles sensées de son frère. Richard lui avait fait vivre l'enfer et maintenant, elle avait droit au bonheur avec sa fille.

Épilogue

Aujourd'hui, Jasmine est toujours dans sa belle maison de Lanaudière. Elle n'a pas refait sa vie de couple, elle est convaincue aussi, qu'elle ne le fera jamais. Elle se sent bien dans sa façon de vivre ; nul ne peut lui donner le bonheur qu'elle attend. Alors, ce bonheur, elle le bâtit elle-même, à coups de larmes et de sourires, de défaites et de victoires. Elle se cloître dans son foyer et n'en sort que très rarement... Cette jeune femme se sent toujours traquée, pourchassée, réduite à ne vivre que pour celle qui ensoleille ses jours, sa petite Marie-Soleil, qui fêtera bientôt ses huit ans. Elle n'a que trente-deux ans et ignore encore ce qu'est d'être aimée pour elle-même.

Sa vie de femme violentée aura laissé dans son cœur une profonde cicatrice, une plaie qui ne se refermera jamais, qui ne guérira que superficiellement. Pourtant, elle se dit guérie et heureuse d'avoir pu être aidée, soutenue, épaulée par son entourage, et surtout, par son frère... qu'elle a perdu, celui que la vie lui a arraché cruellement dans un accident de la route. Ces malheurs auront construit autour de cette femme une armure qui la protégera des éventuelles blessures de l'avenir.

Elle voit toujours ce très bon Docteur Anctil qui n'a cessé d'être à ses côtés durant toutes les épreuves rencontrées.

Jasmine est une exemple de courage et de persévérance... mais à quel prix ? Ce regard voilé que nul ne peut percer est, sans aucun doute, celui d'une martyre qui se dit « heureuse » tout en acceptant son sort. Chaque matin, elle s'émerveille de voir le soleil se lever, la pluie tomber et le vent soulever les vagues de cette belle rivière. Elle n'a plus peur, dans cette maison, d'être punie, battue, châtiée, car elle en est la seule maîtresse. Elle ne reçoit jamais d'amis, elle n'en a pas. Jasmine préfère dire qu'elle a des « connaissances », puisque cela lui demande moins d'implications dans ses sentiments envers eux.

Demain, elle sera peut-être confrontée de nouveau à une dure réalité. Elle se rendra dans un centre hospitalier pour savoir, après toutes ces années de violence physique, si elle est atteinte du sida. Mais elle ne lâchera pas prise : vivre des événements douloureux font maintenant partie de son karma. Elle a compris qu'elle doit les assumer un à un, et les éliminer à tour de rôle. La vie l'aura endurcie… ou bien, démolie ? Elle fait fi des malheurs qui peuvent s'abattre sur elle, car pour Jasmine Dufour, cette misère… C'est la vie.

Du même auteur

La légende qui habitait mon âme
© Éditions Calain Inc. 1997

De la même maison d'édition

La légende qui habitait mon âme
© Éditions Calain Inc. 1997